本所おけら長屋 読み始めセット

本所おけら長屋

畠山健二

PHP
文芸文庫

○本表紙デザイン＋ロゴ＝川上成夫

本所おけら長屋　目次

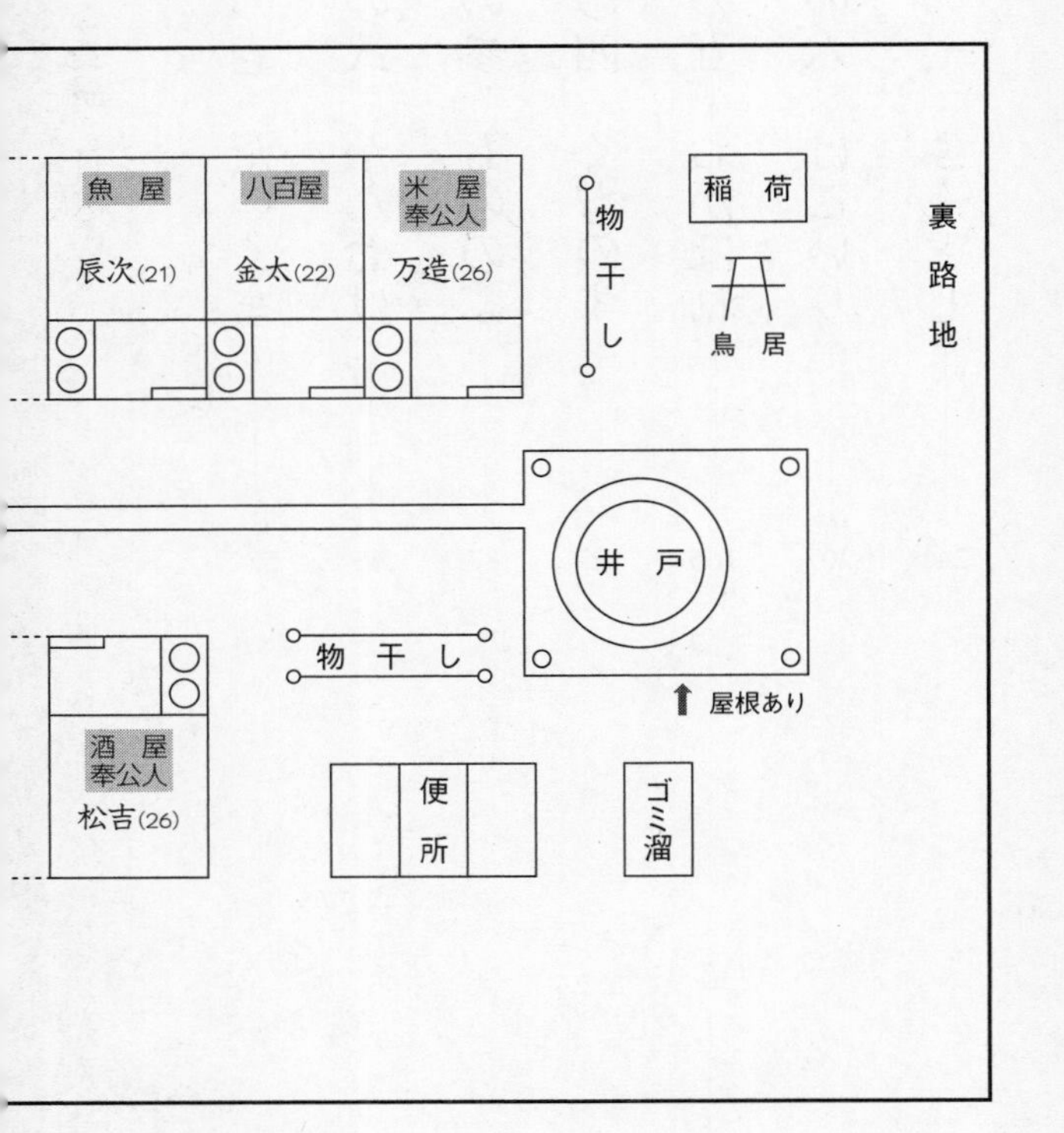
魚 屋
辰次(21)
八百屋
金太(22)
米 屋
奉公人
万造(26)
物干し
稲 荷
鳥 居
裏路地
井 戸
屋根あり
物 干 し
酒 屋
奉公人
松吉(26)
便所
ゴミ溜

本所おけら長屋の見取り図と住人たち

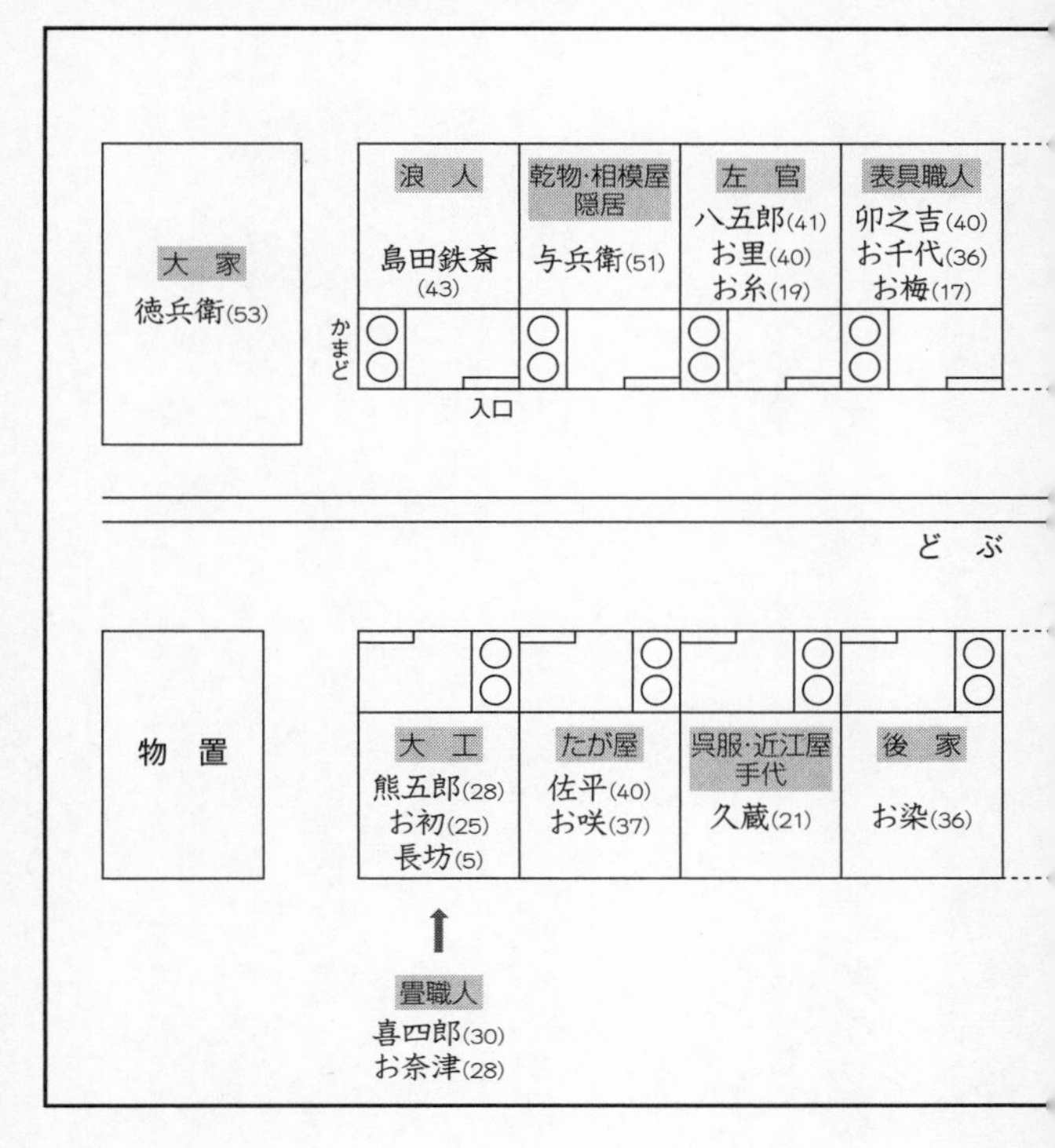

本所おけら長屋　その壱

だいくま

おけら長屋は朝から騒がしい。裏路地の横丁から長屋に入って、すぐ右側にある米屋の奉公人、万造宅に長屋の住人が集まりだした。「宅」などとは名ばかりで、九尺二間の長屋は、台所も兼ねている土間を上がると、住居部分は四畳半しかなく、五人が座れば風も通らない。

米屋の万造は奥壁を背にして座り、なにやら興奮気味だ。

「おう、みんな集まったかい。なに、大家さんも来るってか」

戸口に大家の姿が見えた途端、万造の声質が変わる。

「いやいや、どうも大家さん。こっちへ上がって座ってくださいな」

集まったのは、大家の徳兵衛の他に、酒屋の奉公人、松吉。魚屋の辰次。八百屋の金太。万造も含めて合計五名だ。

「みんなに集まってもらったのは他でもねえ。大熊の野郎だよ。聞いたところによると、おれんところだけじゃねえんだ。このあたりで商売をやってるモンは、みんな大熊に泣かされてるそうじゃねえか」

参加者たちは大きく頷く。大熊というのは「大工の熊五郎」の略で、大熊は彼らと同じ、おけら長屋の突き当たり左に住んでいる。

「おれのところなんざ、もう米代、半年分だ。まったく口がうめえっていうか、頭がいいっていうか、それも一家揃ってときてるから始末が悪いや」

それを聞いた酒屋の松吉が半纏の袖をめくった。

「なに言っていやがるんでえ。おう、半年くらいの払いで、そんなでけえ口を叩くなってんだ」

「おっ、威勢がいいね。なんでえ、松ちゃんは、もっといかれたか」

「八か月よ。二か月分、おれの勝ちだな」

「そんなもん競争してどうしようってんだ。だれも勝ちたかねえや。しかし八か月とはやられたもんだな。おう、辰ちゃんはどうでえ」

魚屋の辰次は、万造や松吉よりも、少しばかり年下なので、多少は控えめに答える。

「へえ、あっしんところは、何か月ってんじゃないんですけどね。今のところ、払いがとどこおってるのは……」

「よっ、いいねえ。とどこおる、ときやがったよ」

「ヒラメとタイです」

万造の声は自然と大きくなる。

「たけえ魚ばかりじゃねえか。しかしおれなんざ、タイなんていう代物を最後に食ったのは……」

万造は斜め上に視線をやった。

「あれは確か四年前、大家の馬鹿息子……、いや、あの、馬鹿に様子のいい大家さんの息子さんの……、略して、馬鹿息子さんの……、うーん、もうどうでもいいや。その祝言のとき以来だぜ。もうどんな形をした魚だったかも覚えがねえや。それを大熊の野郎、御足も払わねえで食ってるなんざ、なんともシャクじゃねえか。次は八百金だ」

八百屋の金太は柱に寄りかかって船を漕いでいる最中だ。

「おう、八百屋、金ちゃん……。ダメだ。寝てるよ。しかしこのみじけえ間によく眠れるねえ。これも才能だ。起きなよ、八百屋。おい、金公！」

金太はヨダレを拭きながら目を覚ましたが、後頭部を柱に打ち付けた。

「イテッ、大根ですか……」

「ダメだこりゃ。寝ボケてるよ。いいから寝かしときな。これだけボーッとした野郎だ。聞くまでもねえや。まあ、五十歩百歩ってとこだろう」

今まで静かにしていた大家の徳兵衛が、大袈裟に両腕を組んだ。

「なんですか、大家さん、役者みてえな形をして」

「お前さんたちは、人間が小さいね」

「よっ、ちいせえ、ときたよ。ちょいと、みんなで聞こうじゃねえか」

「大熊一家がこの長屋に越してきて、もう三年になる」

「そんなになりますかね……」

「お前たち、六か月だ、八か月だって騒いでいるが、それじゃその前はちゃんと払ってたことになるじゃないか。私は三年間、ただの一度も店賃(たなちん)ってものを貰(もら)ったことがない。どうだ、まいったか」

「ですから大家さん、今日はここで我慢大会やろうってんじゃありませんから」

　大家は正座をして背筋を伸ばした。

「お前たちは、大熊のことをとやかく言える身分ではあるまい。米屋万造、三か月。酒屋松吉、同じく三か月。魚屋辰次、二か月。お前たちの店賃はどうした。申し開きがあるなら、この場でしてみなさい」

　金太は居眠りを続けている。

「つまらねえところで、お鉢(はち)が回ってきやがったな。ですからね、大家さん。大熊の野郎が掛けを払ってくれりゃ、こっちだってちゃんと店賃くらい払えるんですから。なあ、松」

「そういうこってい」

「なあ、魚辰」

「そうですよ」

　大家は三人の会話を無視する。

「だがな、あれで大熊もかわいいところがあってな」

「大家さん、そりゃどういうことで……」

「三月ほど前だったかな、大熊がフラリとやってきて『これを店賃のタシにしてください』って、米と酒を差し出した。この前は魚だ。確か、ヒラメにタイ……」

三人はずっこけた。

「大家さん、そりゃないでしょう。みんな、こっちからの回りもんじゃないですか」

「なに、お前たちからの回りもの？」

「そうですよ」

「そうだったのか。そりゃ、すまんことをした。すぐに返そう」

「まあ、食べちまったもんは、仕方ないですけど」

「いや、仮にも私は大家だ。すぐに雪隠から汲んでこよう」

「汚ねえな、まったく。まあ、いいや。とにかく今日、みんなに集まってもらったのは、あの大熊の野郎から、うまく掛けを取るにはどうすればいいか相談しようと思ってよ。だが、こっちの出方を考える前に、まず、向こうの手口を知っとくべきだろ。一人ずつ、どんなふうにやられたか話してみようじゃねえか。まずは酒屋だ。松吉、おめえはどうでえ」

松吉は自分の鼻先を指さして、苦笑(にがわら)いをした。

「なんでえ、おれからかよ。言い出しっぺの万ちゃんからにしろよ。一番目っていうのは、なんだか照れるじゃねえか」

「なに言ってるんでえ。女郎屋(じょろうや)の階段じゃ、人を引きずり下ろしてでも真っ先に駆け上がっていくくせによ。変なところで照れるねえ」

「わかったよ」

松吉は胡坐(あぐら)を組み直した。

「いやね、つい十日ほど前だったかな、うちの番頭さんがさ『松吉、大熊んとこの掛けはどうなってんだ。お前は同じ長屋に住んでんだろう。なんとかしないと、お前の給金から差(さ)っ引(ぴ)くよ』なんて脅(おど)かすもんだからよ、しょうがねえ、行ったんだよ、大熊んとこに」

「へー。で、どうした。大熊はいたのか」

「いや、大熊のカカアが一人でいてね。おれの顔を見るなり、ホウキを放り捨て、小走りに近づいてくると、ピタリと正座をして『これはこれは酒屋さん。いつもお世話になっております』ときたね」

万造は軽く右膝(ひざ)を叩いた。

「これだよ。出鼻を挫(くじ)かれやがったな。どうです、大家さん。これだけでも只者(ただもの)じゃねえって感じでしょ」

「そうだな。その挫きようのない低い鼻を挫くんだからたいしたもんだ」

「いや、松ちゃんの鼻はどうでもいいんですけどね。で、それからどうしたい」

「だからさ、言うだけのことは言ったよ。掛帳を開いてみせてさ。『おかみさん、この八か月で、これだけ溜まっちまいましてね。なんとかなりませんか。ウチだって湧いて出てきた酒を売ってるんじゃねえんです。ちゃんと御足を払って仕入れた酒を売ってんだ。まっとうな商いをしてるモンを、あんまり苦しめねえでもらいたいんですよ』ってね」

「いいねえ。ちゃんと理にかなってるじゃねえか。松ちゃんにしちゃ上出来だ。で、大熊のカカアはどうした」

「それが、正座したまま俯いて、おれの話を聞いてやがるから、ここで引いちゃいけねえと思って続けたね。『おかみさん、てめえで売ってて言うのもなんだが、だいたい酒なんてもんは道楽の水だ。呑まなくたって死ぬもんじゃねえ。それを呑んで、御足を払わねえってえのは、ちょいと筋が違いやしませんか。人様が生きていく上で、どうしても必要なもんで、それがどうしても払えねえってんなら、おれにもわかる。そりゃ仕方がねえ。たとえば、米とか、店賃とか』……」

万造が口に含んでいた茶を吐き出した。

「おう、おう、おう。てめえは、また余計なことを言いやがって。大家さん、こういう野郎なんですから、こいつは」

大家はいつになく温和な表情になる。

「まあまあ、万造さん。松吉さんだって馬鹿じゃないんだ。それくらいのことを言わなきゃ掛けは取れやしない。だがな、松吉さん、お前さんはひとつ、大きな考え違いをしているよ」

「それみろい。大家さん、こいつにバシッと言ってやっておくんなさい」

「店賃も人様にとって絶対に必要なもんじゃない。橋の下だって生きていけるからな。だから、払わなくていいのは米だけだ」

「ちょい、ちょい、ちょい。そりゃないでしょう、大家さん。あのね、だいぶ話が横道に逸れてますから。大熊んとこの話でしょう。おう、松ちゃん、余計なことは言わないで続きをやりやがれ」

万造は松吉を急かした。

「で、ひとしきり、まくしたてたら、今までうなだれて聞いていた大熊のカカアが、ポツリと言ったよ。『呑める酒なら呑んでみたい』」

「おめえ、また、水でうすめた酒でも持っていったんだろ」

「冗談言うねえ。おれんとこの酒と小便は濃くて有名なんだよ。おれは頭にカーッと血が上ってよ。『なんだと。おれんとこは呑めねえ酒でも売ってるって言うのかい。金も払わねえで、よくそんな寝言が言えるな』って怒鳴りつけた。そしたら大熊のカカアが床に頭を擦るようにしてよ、『申し訳ございません。私の言い方が足りませんでした。あのような素晴らしいお酒、呑めるものなら呑んでみたい、という意味です』。『じゃあ、酒は呑んでねえっていうのか』『はい。うちの人も私も一滴も……』『それじゃ、おれが持ってきた酒はどうしたんでえ』『神棚にお供えしております』と、こう言うんだよ」

腕を組んで話を聞いていた大家は首を捻った。

「大熊の家に神棚なんてあったかね。あたしゃ覚えがないがね」

「だから、おれも聞いたんですよ。神棚なんてどこにあるんだって。大熊のカカアが指さすから、その方を見るとよ、水瓶の脇の棚に、なにかの葉っぱと徳利が載ってんだよ。『あれが当家の神棚でございます』だってよ。おれには、俎板の上に食べカスが載ってるようにしか見えないんだけどね。本人が神棚だって言うんだから仕方ねえだろ。そしたら今まで聞く一方だった大熊のカカアがいきなり喋りだしたよ」

《当家の神様は、お酒が好きとみえて、お神酒を供えてひと晩たつと不思議なことにすっかりなくなっております。よほどお酒が好きなのだろうと、毎日お供えしておりましたが、酒屋さんへのお支払いもございます。ある日、熊五郎が俎板に、いや、神棚に手を合わせて「神様、申し訳ねえ。もうお酒を買う御足がございません。しばらくの間、辛抱してください」と言って酒を切らした翌日、熊五郎が足場から落ちて怪我をしまして。ああ、神様が怒ったんだと、払えぬとは知りながら、おたく様よりお酒をお届け願いました。ここでお神酒を切らすと、熊五郎ばかりか、おたく様にも……》

「と、ここでひとつ、大きく溜息をついて」

《何か悪いことでも起きるのではと……》

「そんなこと言われてみろい。こっちだっていい気持ちはしねえだろ。『お代なんぞはどうでもようござんす。あとで上等な酒を届けますから』って言って帰ってきた」

結末を聞いて、万造はがっくりと肩を落とした。

「馬鹿だね～。簡単に丸め込まれやがって。だけど、大熊のカカアもたいしたもんだ。よくもまあ、咄嗟にそんな話を作りやがったな。まったく大工の女房にしとくのはもったいねえな」

酒屋の松吉も黙ってはいない。

「感心してどうすんだよ。そういう米屋はどうなんでえ。え、万造さんよ」

万造は下から目線になった。

「やっぱり、おれも言わなきゃダメか？」

「当たりめえだろ。さんざっぱらおれのこと馬鹿にしやがって。おめえはどうやって、取りっぱぐったんだ。え、言ってみろい」

いきなり万造は土下座（どげざ）をした。

「すまねえ。松吉さん。あなたは立派だ」

「急に態度が変わりやがったよ。なんでえ、そりゃ」

「あなたは、取れなかったまでも、払ってくれとはっきりおっしゃった。おれはそれさえも言えなかったんだ。畜生（ちくしょう）〜」

腕で目を擦る万造。

「泣くこたあ、ねえだろ。早く話せよ。なんだか、ワクワクしてくらあ」

「おれだって、おめえと同じよ。番頭は気が違ったように騒ぐし、今日こそ米の掛けを払ってもらおうと思って、大熊んとこへ乗り込んだ。こっちだって御用聞きで来てるんじゃねえから、大熊の家に上がって、ドンと座り込んだのよ」

「よっ、威勢がいいねえ。で、どうしたい、大熊はいやがったのか」

「いねえ。大熊のカカアとガキがいて、おれの前にピタッと正座をしたね」

「やっぱり、とりあえずは正座できたか」

「ああ。それで、大熊のカカアがガキにこう言った」

ここで、万造はお茶で喉を湿らした。

《いいかい長坊、いつも言ってるだろ。おとっつぁんと、おっかさんと長坊の三人が貧しいながらも、この世で暮らしていけるのは、みんなこのおじさんのおかげなんだよ》

「そしたら、間髪を容れずに、そのガキがね……」

《米屋のおじさん、ありがとう。あたいは一生懸命に学問をして、きっとおじさんに恩返しができる立派な人間になるからね》

「こっちも、ついホロリときちまってよ。そしたら大熊のカカアが……」

《あなた様のお情けにすがるしか生きていけない、この子が不憫でございます》

「それから親子で抱き合って泣きだした」

「で、おめえはどうしたんだ」

「おれも一緒に手を取り合って、三人で泣いた」

「馬鹿野郎。おめえはな、普段は威勢がいいくせに、お涙頂戴には弱いんだからよ。だいたい、なにが学問だ。あのガキは朝から晩まで、青っ洟たらして棒切れ振り回してら」

万造は面目なさそうに手を額にあてた。

「いや、おれだって芝居だとは思ったよ。思ったけれども、どうもあのガキが出てくるとよえーんだよ。今思うとはらわたが煮えくり返るんだけどよ、あそこへ行くとダメなんだ。まあ、もうおれのことはどうでもいいじゃねえか。お次は……、魚辰、おめえはどうだ」

魚屋の辰次は、いきなり畳(たたみ)にうつ伏せた。

「あっしは、お二人が羨(うらや)ましい……」

「なんでえ、その羨ましいってえのは」

「いや、その……、あっしも松吉さんや万造さんのように、手の込んだ手口でやられたかったという意味です。あっしは、じつに簡単な手口でやられました。初鰹(はつがつお)です。それも春一番で鎌倉沖から揚(あ)がった正真正銘の初鰹です。この初鰹を仕入れるのの大変だったこと。なんたって売値が一尾、二両三分(ぶ)っていう高価な代物です。ピーンと張った尾っぽ。銀色の腹に黒の縦じまがスーッと入って、なんとも威勢のいい姿。これを食べなきゃ江戸っ子じゃねえ。さすがに『勝(か)つ魚(お)』って書くだけはあります。そもそも鰹は……」

「おうおう、鰹の能書きはどうでもいいんだよ。おめえは簡単な手口でやられたってわりに、説明がなげえな」

「面目ねえ。つい興奮しまして。棒手振(ぼてふ)りでその初鰹を商っていますと、家から大熊さんが出てきまして……」

「いよっ、いよいよ大熊が出てきやがったか。畜生〜、待たせやがって。いやいや、どうぞお続けください」

「大熊さんが、その鰹をくれと言うのです。『これは二両三分の初鰹ですよ』と言ったのですが、いいからよこせと言うので、そこでさばいて渡しました。お代を請求すると、ちょっと待ってろとか言って、その初鰹を持って家に入ると、親子三人で狂ったように、むさぼり食ってるじゃありませんか。あっしは何か悪い予感がしました」

「うーん、そりゃ聞いてるだけでも、いい予感はしねえなあ」

「あっという間にたいらげて、大熊さんが出てきたので、お代を催促(さいそく)しますと……」

万造はここで、膝をひとつポンと叩いた。

「わかった。大熊の野郎、おれはくれと言っただけで、買うとは言ってねえ、とかほざいたんだろ」

「畜生〜」

魚辰は、再度、畳に伏した。

「泣くな、泣くな。野郎、きたねえ手を使いやがって。しかしまあ、大熊が強引で、カカアが知恵者、ガキが役者ときてら。こりゃ手に負えねえな。大家さん、おれたちゃどうすりゃいいんですかね」

腕組みをして成行きを聞いていた大家はしばらく沈黙した後――。

「まともな手段では無理だな。こっちも策を練らねばなるまい。うーん、どうしたものかな……。そ、そうだ、相模屋のご隠居さんに相談してみるのはどうだ」

「そいつぁいいや。それじゃ、ご隠居さんの件は大家さんにお任せしますので」

おけら長屋には大家を除いて、十二の店子が住んでいる。職人や奉公人が多いが、浪人、謎の後家女、隠居なども暮らしている。

隠居とは、商家の主だったが跡取りに身代を譲った人物のことだ。大店の隠居は商売から引退すると、屋敷の中に隠居部屋を作ったり、根岸あたりに一軒家を構え、身の周りの世話をする小僧と余生を送ることもあったが、標準的な商家の隠居は長屋に住むことが多かった。

この長屋に住むのは、相生町で乾物を商う相模屋の隠居、与兵衛。連合いに先立たれたのをきっかけに身代を倅に譲り、気ままな一人暮らしを続けている。おけら長屋と相模屋は味噌汁も冷めない距離で、食べ物などを持った丁稚が毎日のように顔を出すので、生活に不自由はない。商売人の与兵衛は、読み書きやそろばんがお手の物で、豊富な知識も持ち合わせていたことから、長屋の住人たちから何かと頼りにされている。それが与兵衛にとっては心地よかった。

「ご隠居さん、徳兵衛ですが……」

戸口から声をかけるのは、大家の徳兵衛だ。この大家の出現が楽しい結果につながることはまずない。与兵衛は小さな溜息をついた。返事をすると、大家は不器用な手つきで建てつけの悪い引き戸を開け、腰の位置を低くして入ってきた。おけら長屋で唯一まともに店賃を払っている上客だから気を遣うのだろう。

「今日は長屋を代表して、お願いに参りました」

「ほう、それは大仰なことで。何事ですかな」

大家は差し出された座布団に座ると、今朝の出来事を語りだした。

「――と、いうわけなのですが」

隠居の与兵衛は眼をつぶり、腕組みをして聞いているままだ。

「ご隠居さんのお知恵をお借りしたいというのが、まとまった意見でして。是非ともひとつ……」

「そりゃ、みなさん、お困りのことでしょうな」

「まったくもって」

与兵衛は膝元に置いてあった湯呑み茶碗から白湯をすすった。

「まず、元を絶つことでしょうな」

「はあ、元を絶つと言いますと」

「なぜこのような問題が生じるのか。それは大熊さんに物を売るからです。売らなければ御足を払ってもらう必要はなくなりますから」

「そりゃ、そうでしょうけど」

与兵衛は冷ややかに微笑んだ。明らかな上から目線だが、徳兵衛はそれに気づいていない。

「聞けば、熊五郎さんは腕のよい大工だそうですな。つまり御足が払えないってことはないんですよ。わかりやすくいえば、万造さんや、魚辰さんたちは馬鹿にされてるってことですな」

「だとしたら余計に腹が立つじゃありませんか」

与兵衛は茶碗に手を伸ばす。

「このあたりで商いをしているお店は、だいたいご存知ですかな」

「ええ。万造さんが米屋、松吉さんが酒屋、辰次さんが魚屋、金太さんが八百屋。あっ、それに、ご隠居さんのところは乾物屋でしたな。それぞれに組合や問屋の関係もあるので、ほとんどがつながっているでしょう」

「そのお店をまとめることはできますかな」

「まとめるといいますと……」

「熊五郎さんの一家には物を売らないようにするのです。味噌や醬油に、油にロウソク。生活に必要なものは一切売らない。床屋や湯屋も出入り禁止にします」

「なるほど。大熊一家が音を上げるまで追い込むってわけですな」

「それができますか」

「やりますとも。みんなで手分けして本所一帯を回りますから」

「熊五郎さんは困るでしょうな。元を絶たれたんじゃ、暮らしは成り立たない。おそらく向こうから詫びを入れてきますよ。御足だって払うようになるはずです」

　その夜、万造たちは大家の家に集まり、地図を開いた。

「おもしれえことになってきやがったな。よーし、一ツ目通りから向こうは松吉だ。それでこっちが魚辰。金ちゃんは……、また寝てやがる。仕方ねえ、松井町と林町はおれが回るとしよう」

　辰次は自信なさげだ。

「でもよ、何て言えばいいんだか。おいら口べただし……」

「うーん、大熊が掛けを踏み倒してるってだけじゃ、ちょいと弱いな。こういうのはどうでえ。大熊一家にキツネが憑きました。大熊一家と関わりを持つとキツネが憑いて気がふれる。おけら長屋の大家さんなんか、コンコン鳴きながら油揚げを喉に詰まらせて死にましたって」

「私を殺すな。だが、なかなかの妙案だな。よし、死んだのは隠居の与兵衛さんってことにしよう」

松吉は嬉しそうに手を叩く。

「一人じゃ寂しいから、うちの長屋じゃ、隠居と左官の八五郎、後家のお染さんも死んじまったってことにしようや」

昨年、江戸では疫病が流行り、多くの死者が出た。天然痘だったが、死神がとり憑いたと怯える人も多く、それなりの効果は期待できそうだ。翌日から、万造たちは本所一帯を、大熊一家を孤立させるべく奔走した。

半月後、大家の家に万造と松吉が飛び込んでくる。

「大家さん、大熊一家はかなり追い込まれてるようだぜ。このあたりじゃ何も売ってくれねえからよ。さっきも大熊のカカアが豆腐屋に断られて半ベソかいてやがった。ざまあみろってんだ。てめえで蒔いた種だから仕方ねえけどな」

「おれも見たぜ。八百屋の前でガキの手を引いて泣いてた」

「そうか。こりゃ意外と早く音を上げるかもしれんな」

大家は自慢のあご髭(ひげ)を何度も擦った。

大熊一家が心中したという報が飛び込んできたのは、雨の降る蒸し暑い夕方だった。辰次から話を聞いた万造と松吉は、三人で大家の家に駆けつけたが、大家は留守(るす)だ。万造は息を切らしながら、辰次に詰め寄る。

「もう一度、はじめから詳(くわ)しく話してみろい」

辰次は大きく息を吸い込むと、雨空(あまぞら)を見上げる。これから話す内容を自分なりに整理しているようだ。

「こちとら、気がみじけえんでえ。とっとと話しやがれ」

「そう急(せ)かさないでくれよ。こっちだって、よくわからねえんですから。なんでも、昨日の朝早く、深川(ふかがわ)の海で漁師が土左衛門(どざえもん)を引き上げたそうで。若い夫婦と男の子の三人。離ればなれにならねえように、三人の身体(からだ)は縄で固く結ばれていたとか。役人の話によると大川(おおかわ)のどこかから身投げしたんじゃねえかって。潮の流れで土左衛門が上がる場所は決まってるってことだから」

「なんで、それが大熊一家だってわかるんでえ。そんな親子は、この江戸にいくらでもいらあ」

「ところがですね、役人が大川をくまなく調べたところ、吾妻橋(あずまばし)近くの土手から大熊の道具箱と、書き置きが見つかったそうです」

「書き置きだと。な、なんて書いてあったんでえ」

「そ、それが……」

「いいから言ってみろ」

「『おけらながやのやつら　ゆるさねえ　くまごろう』って」

沈黙が続いた。三人の月代(さかやき)からは雨の雫(しずく)が垂れているが、だれも拭(ぬぐ)おうともしない。最初に口を開いたのは松吉だった。

「お、おい、大熊は字が書けたっけ」

万造は歪(ゆが)んだ笑顔を作った。

「そうだ。ヤツは字が書けねえ。それに熊五郎なんて名前は、猫のミケやタマと同じで、どこにでもいらあ。なあ、そうだろ」

辰次は俯(うつむ)いた。二人の気持ちはわかるが、状況が悪すぎる。

「ですが、『おけらながや』って書いてあるんでしょう。それに仮名(かな)なら、おいらにだって書けますよ」

またしても続く沈黙。

「それで、大家はどうしたんでえ」

「今日の昼前に、木場島崎町(きばしまざきちょう)の番屋に呼ばれたようで。おそらく仏さんを確認するためでしょ。認めたそうですよ。大熊一家だって。それから奉行所に連れていかれたみたいで……。あ、あの、あっしたちにも、お咎めがあるんですかね」

万造は辰次にではなく、自分を説得するかのように吠えた。

「ふざけるねえ。元はといやあ、大熊の踏み倒しが原因だ。おれたちのどこが悪い。悪いこともしてねえのに、お咎めなんざあるわけがねえ」

松吉も同意するが、二人が強がっているのは明らかだ。それは本人たちも自覚していた。

その夜おそく、徳兵衛が戻ってきた。

「心配はいらない。こっちにお咎めはない。それは、お奉行所でも確認してきた」

大家をはじめ、万造たちにしても、お咎めなどはどうでもよかった。五つになる子供を死なせてしまったこと。その一件に自分たちが深く関わっていること。その事実が心に重くのしかかっている。だが、だれもそれを口にすることができない。

「大熊一家は明日の朝、亀沢町の番屋に戻ってくる。戻るといっても位牌だけだがな。傷みがひどいんで、大熊の兄貴分って人が寺に運んでいったよ。長屋としても通夜くらいは出してやらねばならないだろう。お前さんたちにも手伝ってもらいますからね」

この話は、半日とかからず本所一帯に広がった。

「おけら長屋の連中が、寄ってたかって大熊一家を苛め抜いて、心中に追い込んだってよ」

「やり方がなんとも陰湿じゃねえか。江戸っ子の風上にも置けねえ」

「たかが米や酒の掛けぐれえでよ、殺すこたあねえだろ」

「長坊がかわいそすぎらあ」

江戸は風評の町でもある。噂が噂を呼び、長屋の連中はすっかり悪者にされてしまった。大家と万造の家には石が投げ込まれたほどだ。

翌日の午後。おけら長屋の住人は通夜の準備にとりかかった。番屋の入口に喪葬の幕をたらし、ささやかな祭壇を組む。その檀の上には白木の位牌が三つ並べられている。線香の煙が天井近くに淀んで霞がかかっているようだ。

あたりはうす暗くなってきたが、弔問になど、だれも来ない。番屋にいるのは長屋の連中だけだ。大家は位牌を眺めて力なく呟いた。

「しかし、とんでもないことになった。万造さん、あんたのせいだよ。あんたが言い出しっぺだからな」

「おれは、みんなを呼んだだけじゃねえか。みんなが困ってるんだから話をするのは当たりめえだろ。ご隠居さんに相談するって言い出したのは大家さんだ。人のせいにするねえ。ところで、そのご隠居さんはどうしたんでえ。朝から姿が見えねえが……」

「急に腰が痛くなったとか言い出して、今朝早く箱根に発ったよ、湯治だとさ。ひと月は戻らないそうだ」

「逃げやがったか。さすがに知恵者、ぬかりはねえや。こっちは針のむしろだってえのによ」

長屋に住む左官の八五郎が二人の会話に割って入る。

「あんたたちはいいよ、当事者なんだから。こっちは関係ねえのに、おけら長屋の住人ってだけで白い目で見られてるんだ」

呉服を扱う近江屋の手代、久蔵も続く。

「まったくですよ。商いもやりにくくなってしまったし。どうしてくれるんですか」

万造は苛立ちを隠せなかったが、この席で取っ組み合うわけにもいかず、拳を握りしめて耐えた。考えてみれば、長屋の連中が言うのももっともだ。表具職人の卯之吉が立ちあがった。

「済んじまったことを、あれこれ言っても仕方ねえや。こうして大家さんが酒を用意してくれたことだし、呑みましょうや。それが大熊一家の供養になるってもんでしょう。お染さん、みなさんにお酒を」

寂しい通夜になった。番屋の隅でささやかな酒盛りがはじまったが、口数は少ない。

「ごめんよ」

着流しで遊び人風の男が、のっそりと番屋に入ってきた。大家が立ち上がって頭を下げたので顔見知りなのだろう。男は位牌を背にして小上(こあ)がりに腰を下ろすと、一同を鋭い目つきで見回した。大柄な体格で首筋に大きな傷跡がある。眉毛(まゆげ)が濃く、髭を剃(そ)った跡が青々としている。全員の視線を集めて平然としているところは、いかにもひと癖ありそうな雰囲気だ。

「おけら長屋のみなさんとお見受けしました。こうして通夜に来てくれるなんざ、なんともありがてえじゃねえか。熊の野郎も、さぞ喜んでるだろうよ」

万造たちは、この男をどう扱ってよいのかわからずに大家を見た。

「こ、こちらは、熊五郎さんの兄貴分で、た、確か、文次郎(ぶんじろう)さんでしたね。島崎町の番屋からいろいろとお世話になりまして、みなさんからもお礼を言ってくださいよ」

長屋の一同は、一斉に立ち上がり深々と頭を下げた。男は左手の甲で、それを払うような仕種(しぐさ)をする。

「いいってことよ。兄貴分としちゃ当然のことだからな。それより、熊の供養だ。

おれも一杯もらいてえなあ」

　長屋の住人、後家女のお染が、中腰のまま徳利と茶碗を運び、酌をした。男はその酒を一気に呑み干し、空の茶碗をお染に差し出す。今度はその酒を半分ほど呑むと、茶碗を乱暴に置いた。その音に驚いて、お染の背中はピクリと震えた。

「熊の野郎は、みなさんに大層かわいがってもらったようで、おれからも礼を言わなきゃなるめえな」

　あからさまな嫌味だ。大家は小皿に盛った煮物を文次郎の脇に置いた。

「ここに来る前に、近くの人たちから、だいたいの話は聞いてきた。あそこまでやられたんじゃ、熊も死にたくなるだろうよ。だが、かわいそうなのは長坊だ」

　文次郎は振り返ると、長坊の位牌を手に取った。

「まだ数えで五つだってえじゃねえか。子供に罪はねえはずだ。なあ、あんた、そうは思わねえか」

　視線を向けられた万造は肩を落とした。

「見せたかったなあ。海から引き上げられて、番屋の土間に並べられた親子の姿をよ。土左衛門っていうのは、あんな顔になっちまうんだなあ。おれは長坊の顔をまともに見れなかったよ。冷たかったろうなあ、苦しかったろうなあ」

　文次郎は長坊の位牌を両手で摩った。

「熊の女房の顔は鬼のようだった。あれはだれかを恨(うら)みながら死んでいった顔だ。ねえさん、もう一杯注(つ)いでもらおうか」

通夜の席は、すっかり文次郎の独壇場(どくだんじょう)と化していた。陽(ひ)もすっかり落ちて、暗くなった番屋の中でロウソクの灯(ひ)が揺れ、お染のすすり泣く声が聞こえるだけだ。

「まあ、とやかく言っても熊たちは生き返っちゃこねえ。ところで大家さん、この通夜の喪主ってえのはあんたか」

「いえ、私は大家としてお手伝いをさせていただいてるだけで……」

「そうかい。それじゃ、兄貴分のおれが喪主ってことでいいかい」

「ええ。それが筋だと思います」

文次郎は、自(みずか)らの膝をポーンとひとつ打った。

「よし、決まった。さて、大家さん、この一件で、おれがどれだけ苦労したか、だいたいの察しはつくだろ。引き取り手のねえ亡骸(なきがら)が三つだ。棺桶(かんおけ)を用意させてから、人足(にんそく)を六人も雇い、縁のある寺島村(てらじまむら)の寺に運ばせた。寺だって檀家(だんか)でもねえ棺桶なんざ受け取りゃしねえ。だからって放りだすわけにもいかねえだろ。地獄の沙(さ)汰(た)も金次第ってこった。寺の和尚(おしょう)に一両を握らせて無理矢理に引き取ってもらったんでえ。この金はどうする。おれが払うべき金なのか。え、大家さんよ」

「もちろん、お寺の埋葬料も人足の費用も、こちらで用意させていただきます」

「それだけか。冗談じゃねえ。だいたい、あんたたち、香典は出したのかい。町の人たちはどう思うだろうな。親子三人を心中に追い込んどいて、香典は出さねえ、面倒なことはすべて人に任せて高みの見物か。誠意ってもんがねえ。本所界隈だけじゃねえぞ。おけら長屋の悪名は江戸中に広がるにちげえねえな」

「いくら用意すれば、よろしいでしょうか」

文次郎は両手の指を開いた。

「十両だ」

表具職人の卯之吉が「揺すりたかりじゃねえか」と囁いた。

「なんだと、もういっぺん言ってみやがれ」

文次郎が茶碗を土間に叩きつけた。割れた破片が足首にあたったお染は、小さな悲鳴をあげた。

「おれがもらうんじゃねえ。預かるんだ。熊の野郎にはな、安房に年老いたおっかさんがいるんでえ。おれは明日にでも、安房のおっかさんに事の次第を話しに行くつもりだ。息子と嫁どころか、五つの孫まで死んじまったって告げるのは辛いぜ。悲しむだろうなあ。そのおっかさんに一両ぽっちの金を渡せるけえ。おっかさんに五両。埋葬と永代供養に四両。おれが懐に入れるのはたった一両だ。安房まで出向く駄賃だよ。どこが揺すりたかりだってんだ。噂通りの、血も涙もねえ薄情な連中だぜ。おれも方々で言いふらしてやらあ」
「薄情」は「野暮（やぼ）」と並んで、江戸っ子がもっとも言われたくない言葉だ。まして
や、すでに悪者にされている身としては、これ以上の悪評はなんとしても避けた
い。大家は覚悟を決めた。
「お話はよくわかりました。ですが、ここはおけら長屋と呼ばれるだけはありまし
て、貧乏人の集まりでございます。ここはお寺さんと安房のおっかさんにもご無理
をきいていただきまして、四両というわけにはまいりませんか。四両でしたら、す
ぐに用意させていただきます」
少しの間があって――。
「仕方ねえ。貧乏はしたくねえな」
文次郎の言葉に、大家は立ち上がった。
「それでは、私の家までご同行ください。すぐそこですから」
文次郎は大家を追うように番屋を出ていった。固まっていたお染は、我を取り戻
したように茶碗の破片を拾い集める。
「それにしても驚いたね。大家が四両もの大金を持ってるとは。大家ってえのは世
を忍ぶ仮の姿で、本当は盗賊の頭（かしら）だったりしてな」
万造の軽口（かるくち）に笑う者はいなかった。

人の噂も七十五日というが、ひと月もたつと大熊一家の話をする者はいなくなった。おけら長屋の悪評も、だいぶ薄れてきたようだ。それぞれが心に石のようなものを抱えていたが、長屋の連中も日常を取り戻しつつあった。そんなある日――。

「暮れ六つ（午後六時）に大家さんの家に集まってくれ。島田さんが、おれたちに話があるそうだ」

島田とは、おけら長屋の住人、島田鉄斎のこと。武士だが、現在は浪々の身である。武骨な性格なため、自らの身の上は語らないが、一説によると、奥州のさる藩で剣術指南役を務めていたが、御前試合で敗れて脱藩したとか。もちろん真実は定かではない。大店から用心棒を頼まれることもあるので、腕の方は確かなようだ。実直な性格で、町人を蔑むこともなく長屋の連中ともうまくやっている。

松吉の話に、万造は首を捻った。

「島田の旦那が……。珍しいねえ。吉原にでも繰り出すってか」

「そんなわけねえだろ。あの先生が行くのは道場と質屋くれえのもんだ」

「ちげえねえや」

暮れ六つを過ぎたころ、万造が大家の家を訪れると、大家、松吉、辰次、そして島田鉄斎の四人はすでに揃っていた。

「申し訳ねえ、仕事が手間取っちまって」

万造は手刀を切りながら、輪の中に入った。

「もう、その話とやらは始まってるんですかい」

「いや、島田さんが、全員揃うまで待つとおっしゃるんでな」

大家が万造にもお茶を淹れる。島田は、いつものように落ち着いた口調で語りだした。

「嫌なことを思い出させて申し訳ないが、熊五郎さんの話だ」

一同に緊張が走った。あの事件以来、だれもが熊五郎の話題を避けてきた。

大家が支払った四両もの大金もそのままで、万造たちは一銭も払ってはいない。

金に細かい大家が黙っているのだから、それほどに触れたくない話題なのだろう。

「それぞれに辛い思いをしたであろうな」

「確か、島田さんはあのとき、江戸を離れておられましたね」

「信州の縁者のところに行っておった。熊五郎さんの一件については、お染さんや卯之吉さんから聞いて、だいたいのことは知っているつもりだ」

これから聞く島田鉄斎の話は、まさに青天の霹靂であった。

昨日のことだが、私は昼に千住の飯屋に入った。草加の在に住む知人を訪ねての帰りだ。

奥の座敷に上がり、酒を頼み、刀を置くと、私の背にある衝立の向こうから品のない大声が聞こえてくる。そういえば、座敷に上がる前に三人の男が呑んでいるのを見たような気がする。まあ、飯屋ではよくあることだし、ふだんは気にしない。

ところが、そうも言っていられなくなった。「熊五郎」「一家心中」「おけら長屋」といった言葉が端々に聞こえてきたからだ。話は、兄貴分のような一人の男が他の二人に聞かせるという流れだった。私はそいつらに気づかれぬように注意深く聞き耳を立てた。結論から言おう。あんたたちは騙されたんだよ。

熊五郎さんの通夜に兄貴分という男が来たそうだな。そう文次郎だ。それが千住の飯屋にいた男だよ。その男の話をつなぎ合わせるとこうなる。大筋で間違ってはいないはずだ。

その日、文次郎が木場の家にいると、熊五郎一家が挨拶にやってきた。聞いてみると本所の長屋が住みづらくなったんで、夜逃げ同然で引っ越すことにしたらしい。

「長屋の馬鹿野郎どもが、ない知恵をしぼって、嫌がらせをしてきましてね。女房のお初には少しばかり堪えたようですが、どってことはありませんよ。でもね、こちらが潮時だと思って引っ越すことにしたんでさあ。借金も踏み倒せるし、丁度いいや」

「で、どこへ行くんだ」

「へえ、お初の叔父さんって人が、川越で宮大工の棟梁をやってるんで、そっちにでも行ってみようかと。いろいろと世話になったんで、兄貴にだけは挨拶をと思いまして」

「そうかい。それじゃ、餞別でも包まねえとなるめえな」

おけら長屋の悪口などで盛り上がっていると、外が騒がしい。少しばかり先の深川の海で土左衛門が上がったそうだ。騒動好きの文次郎が見に行くと、これが親子三人の心中だ。

「おめえたち、長屋の連中に仕返しをしたくねえか。心中した親子だがな、おめえたち三人とよく似てらあ。熊五郎一家が心中したとなったら、長屋のやつらは大慌てだろうな」

「で、でも、確かめりゃすぐに……」

「水でふやけちまって、わかりゃしねえよ。たとえわかったところで、失うものはなんにもねえ」

「そりゃそうだ。よし、あいつらに、ひと泡ふかせてやろうじゃねえか」

「こうしよう。おめえたちは、このまま川越に行け。熊は一人がいいや。人目につかねえように気をつけろ。途中で大川の……、そうだな、吾妻橋の近くに、道具箱と書き置きを残してから行きな。後はおれに任せておけ。思わぬ金が懐に転がり込むかもしれねえ」

役人は、文次郎の思った通りに動いた。早々に書き置きが見つかり、面通しに来た大家さんは、たいした確認もせずに熊五郎一家だと認めてしまった。いやいや、大家さんを責めているのではない。水死した人の顔なんてものは、まともに見られるもんじゃないからな。

文次郎も島崎町の番屋に駆けつけ、熊五郎一家だと認める。ここで大家さんと対面しているわけだ。和尚に金を握らせて仏を寺に運んだなどは真っ赤な嘘。寺島あたりの雑木林の奥に放り捨ててきたらしい。かわいそうに、その親子も浮かばれないな。そして文次郎は長屋の通夜に向かう。後はあんたたちも知っての通りだ。文次郎は、本当に心中した一家の関係者が出てくる前に、あんたたちから金を巻き上げなければならなかった。通夜の席では、だいぶ冷や冷やしたそうだぞ。私の耳にはまだ、文次郎の高笑いが残っているよ。

松吉は畳を拳で殴りつけた。

「畜生〜」

大家は左手で松吉の動きを制した。

「そ、それで島田さん、それからどうされましたか」

島田鉄斎はゆっくりとお茶を飲んだ。

「そこだ。文次郎と熊五郎の住処はだいたいわかった。飯屋の親父によると、文次郎は千住の岡場所に馴染みの女がいるらしく、月に一度は顔を見せるという。いつでも捕らえることはできよう。だから私はまず、あんたたちに話そうと思ったのだ」

万造の肩が震えている。松吉が覗き込むと、万造の頰には涙が伝い、その雫が畳に落ちる。うめくような声はやがて嗚咽に変わった。松吉は万造の肩に優しく手を置いた。

「わかるぜ。万ちゃんの気持ちはよ。大熊の野郎、ただじゃ済まさねえ」

万造は松吉の手を払った。

「そうじゃねえんだよ……。心中した親子には申し訳ねえが、本当に申し訳ねえが……、死んだのは長坊じゃなかったんだ。長坊は生きてるんだよ……」

松吉は払われた手を、もう一度、万造の肩に置いた。

「そうだよな、万ちゃんの言う通りだ。心中した親子は、おれたちで供養してやろうじゃねえか」

島田鉄斎は畳に置いてあった刀を杖代わりにして立ち上がる。

「大家さん、噂に聞くほど、この長屋の住人は薄情者ではありませんな」

大家は膝を正して、鉄斎に頭を下げた。

「もう済んだことです。この一件はこのままにしておきましょう。それでよいですね、みなさん。ところで……」

ここで大家は帳面を開いた。

「私の立て替えた四両の割り分だが、万造と松吉が二朱と八分、辰次が……」

畳に伏して泣いていた万造は、飛び起きると一目散に逃げ出した。ぶつかった大家は畳に転がったが、今度はその上を越えて、松吉と辰次が飛び出していった。

「やっぱり、最後は踏み倒されましたな」

鉄斎は帯に刀を差しながら笑いを堪えた。

本所おけら長屋　その弐

かんおけ

島田鉄斎が、おけら長屋の住人となって三年が過ぎた。浪々の身であるために正業はない。三ツ目之橋近くの林町にある剣術道場では、師範の補佐役として些少の報酬を得る。腕の方は師範より確かなのだが、出しゃばった真似はしない。大店が多額の掛金を集金する際には、用心棒を依頼され、礼金を受け取ることもある。仕官する気などは毛頭ないようで、気ままな長屋暮らしを続けている。おけら長屋に住む侍は鉄斎一人だけだったが、住人との仲は良好だ。鉄斎は、おけら長屋での生活が心地よい湯船に浸かっているように思えた。

島田鉄斎は信州諸川藩の剣術指南役の長男として生まれた。武家に誕生した長男の宿命で、父の背中を追うことが必定とされ、幼いころから厳しい剣術の修行に励んだ。

鉄斎が三十五歳のときに父が退官し、剣術指南役を引き継いだが、その半年後――。突然に諸川藩は、幕府から断絶され、領国は没収された。詳しい理由はわからないが、幕府の陰謀説が有力だった。床に臥せっていた父は、その衝撃のせいもあってか他界した。父一人子一人だった鉄斎は天涯孤独となり、信州を後にした。妻子がいないことは幸運だった。男の一人身なら、なんとか生きていくことができる。

あてのない放浪がはじまって間もなく、絶好の噂を耳にした。陸奥国津軽の黒石藩で、剣術指南役が急逝し、後任を御前試合で決定するという。推薦人などの条件は満たすことができそうだ。鉄斎は一路、津軽へと向かった。

津軽といえば最果ての北国。予想通り剣術の水準は低かった。鉄斎は順当に勝ち進む。決勝戦の相手は、藩内にある剣術道場の師範、近藤房之介という男だった。大仰な髭をたくわえ、大股で闊歩する威圧的な態度は、いかにも荒くれ者という風体だ。聞いたところによると、近藤房之介は、急逝した元指南役の高弟であり、当然のごとく次の指南役は自分だと決め込んでいたようで、この御前試合を快く思ってはいなかった。

近藤は決勝戦の前に、藩主高宗公に願い出た。

「高宗公に申し上げる。この御前試合、木刀にて行ってまいりましたが、指南役を決める決勝戦ともなれば戦場も同じと覚悟しております。されば、真剣での立ち合いをお認めいただきたい」

鉄斎は、藩主が認めれば受けるつもりだったが――。

「この試合は、剣術指南役を決めるためのものであり、命を落とすためのものではない。真剣での立ち合いは認めるわけにはいかぬ」

穏和な中にも威厳のある言葉だった。鉄斎は、この藩主の下で働きたいと思った。近藤の試合は控え席で見たが、自分が負ける相手ではない。真剣での勝負が認められたら、近藤を斬らねばならない。今は泰平の世の中だ。斬られて死ぬ者より、斬って生き残った者の方が重い荷物を背負って生きていくことになる。藩主の言葉は、そこまで考えてのものだろう。

対峙した近藤は隙だらけだった。心の修行がまるで為されていない。上段に構えた木刀は相手を威圧するだけだ。

奇声を発し、飛び込みざまに木刀を振り下ろしてくる近藤。鉄斎は最小限の動きで体をかわすと、近藤の木刀を叩き落とし、自らの木刀を近藤の鼻先に突きつけた。近藤はその場に尻餅をついて醜態をさらすことになった。

「そこまで――」

思えば、この勝ち方がよくなかったのかもしれない。

晴れて、島田鉄斎は黒石藩の剣術指南役として迎え入れられた。藩主の高宗は若いが好人物で、何かと鉄斎のことを目にかけた。

「鉄斎には感謝しているぞ。近藤房之介という男は、藩内でもとかく無頼漢との噂があり、評判がよくない。鉄斎がいなければ、あの男を剣術指南役にせざるをえなかった。おれは――」

高宗は自分のことを「余」ではなく「おれ」と言った。

「おれは、剣術によって武士の心を訓育してほしいのだ。泰平の世が続いて武士の精神は崩れようとしている。主君への忠誠などという建て前ではなく、己の心の中にある信義、尚武、名誉という武士道精神を育ててほしいのだ」

田舎大名と揶揄されるような地にも、天晴な藩主がいるものだと、鉄斎は感服した。

鉄斎は高宗の勧めで嫁を娶ることにした。

「おれはな、お前がある日、ふといなくなってしまうような気がしてならんのだ」

「そのようなことはありません」

「ならば嫁を取れ。嫁がおれば易々と消えることもできまい」

「ですから、そのような……」

「黙れ。これは余からの厳命である。観念せい、鉄斎」

高宗は手を打った。

「さあ、参られよ」

質素な庭園が見渡せる廊下の角を曲がって、一人の女が出てきた。気品のある美しい女だ。

「結衣と申す。当藩留守居役の娘でな。弘前藩に嫁いだが、亭主と死別して出戻ってまいった。子はおらぬ。おれはな、鉄斎、人物は自分の目で判断する。トウがたっておろうが、出戻りだろうが関係ない。おれが見込んだ女だ。そして、お前もおれが見込んだ男だ。結衣と夫婦(めおと)になれ。よいな」

唖然(あぜん)とする鉄斎に、結衣は深々と頭を下げた。

「結衣にございます。不束者(ふつつかもの)ですが、よろしくお願い申し上げます」

鉄斎が三十八歳、結衣が三十一歳。遠くに見える八甲田山(はっこうださん)の山頂が雪に包まれる晩秋のことだった。

高宗が危惧(きぐ)していたのは本当のことで、鉄斎は自らを根なし草だと思っていた。諸川藩の取り潰(つぶ)し後、深い考えもなく黒石藩にたどり着いたが、ここが終着の地であるのかは自分でもわからなかった。ある日、気ままな風に誘われて、どこかに消えてしまうのではないだろうか。

結衣との生活は、そんな気を一変させた。日ごとに結衣に対する愛(いと)しさが増す。夫婦とは、そんなものなのだろうか。鉄斎は日常の何気ない暮らしの中に幸福を感じていた。

桜が満開となった春の夕刻。役宅に戻った鉄斎は異変に気づいた。庭に面した部屋の襖(ふすま)が無造作に開いている。廊下には泥の跡が――。

結衣の名を叫びながら襖を開くと、女が倒れている。結衣は舌を噛(か)み切って自害していた。着物や畳(たたみ)などの状況から複数の人物と争ったことがわかる。抱き起こした結衣に意識はなく、その身体は冷たくなりかけていた。

「おのれ、近藤房之介」

それ以外に考えられない。近藤は鉄斎との御前試合で無様な姿をさらして後、道場に通う者もいなくなり、自暴自棄に陥り荒んだ生活を送っていると聞く。

「近藤房之介には注意した方がいいですよ。酒場でも『真剣なら負けなかった』『あの男さえいなければ』『必ず殺す』って吠えていたそうですから。近藤には、もう失うものはありません。島田さんへの憎しみだけを抱いて生きているんです」

島田鉄斎に忠告する者もいた。

実際に、近藤に待ち伏せをされ、真剣での立ち合いを挑まれたこともあった。

「近藤さん、あなたは酔っている。酒の入った人と真剣で勝負などできん。どうしてもというのなら、剣術大会の開催を殿に進言してみましょう。これだけは言っておきます。剣は恨みや憎しみのために使うものではありません。では御免」

結衣は乱暴される前に自害し、貞操は守っていた。鉄斎は結衣の身体を湯灌し、北枕の布団に寝かせてから、家を出た。

近藤房之介は予想通り、安酒場でクダを巻いていた。鉄斎の姿が目に入った近藤は、慌てて刀に手をかけた。

「私がここに来た理由はおわかりでしょうね、近藤さん」

「さあ、知らねえなあ……」

「まあ、いいでしょう。先日、あなたは私に真剣での立ち合いを挑まれましたね。明日の明け六つ（午前六時）に、牛川神社の境内ではいかがでしょう」

近藤は椅子を蹴倒して立ち上がると刀を抜いた。店の女は悲鳴をあげてしゃがみ込んだ。

「明日まで待つ必要はねえ。ここで決着をつけてやる」

「仕方ありません。店の迷惑になります。外に出ましょう」

近藤と酒を呑んでいた二人の仲間も刀に手をかけた。それを見て、鉄斎は二人に言った。

「刀を抜いてはいけません。抜けば敵とみなし、あなたたちまで斬らねばなりません。命は無駄にしない方がよいでしょう」

鉄斎が表に出ると、近藤は背中から斬りかかった。鉄斎はそれを予知していたかのように斜にかわした。

「あの女は自害したんだ。おれが殺したわけじゃねえ。考えてみりゃ、あの女を殺したのはお前なんだよ。お前さえここに来なければ、死ぬことはなかったんだからよ」

斬りかかってきた近藤の剣は空を斬り、前のめりになる。そこに鉄斎の一太刀。

少しの間をおいて、近藤の首が滑るように落ちた。近藤は首のないまま、二、三歩進み、腰から崩れ落ちた。

「どうしても行くのか」

高宗は無念を顕にした。

「申し訳ございません。近藤房之介を斬ったこと、己の心の中で答えが見つかりません」

「近藤を斬ったことの是非と申すか」

「はい」

「先に刀を抜いたのも、背中から斬りかかったのも近藤房之介だ。証言する者も大勢いると聞く。よってこれは、武士同士の正式な勝負であり、鉄斎に落ち度はない。近藤側に仇討を許可することもない」

「私は武士に向いていないのかもしれません。人を斬る恐ろしさ、後味の悪さを、身をもって知りました。剣術とは何でしょう。私は何のために剣術を指南するのでしょうか……。その答えを見出せぬまま、剣術指南を続けることはできません」

「結衣のことは残念だったな」

高宗は話題を変えた。

「殿の菩提寺の一角に埋葬を許可していただき、深謝いたします。住職がねんごろに供養してくれるようでございます」

「そうか。おれも気にかけておこう。ところで、鉄斎、どこへ行くつもりだ」

「はっ。亡き父の門弟が江戸で剣術道場を開いております。とりあえずは、そこを訪ねてみようと思います」

「何だ、結局は剣術ではないか」

高宗は破顔一笑した。

「江戸に行ったことはあるのか」

「十年ほど前に一度……」

「長旅には、よい時節になったのう」

高宗は庭から舞い込んでくる桜の花びらを見つめた。

「はっ。若葉のころにござりまする」

「松島だけは見ていけよ。おれも参勤の折には必ず寄る。あれは絶景だ。手形は用意させた。何かあれば江戸屋敷に行け。話は通しておく。それから、これは些少だが、おれの気持ちだ。受け取ってくれ」

鉄斎は涙を見られぬように、しばらくの間、頭を下げ続けていた。

「答えが見つかったら、いつでも帰ってこい。約束だぞ、鉄斎」

こうして、島田鉄斎は江戸へと旅立った。

おけら長屋の大家（おおや）、徳兵衛（とくべえ）は、東州屋（とうしゅうや）善次郎（ぜんじろう）と吾妻橋（あずまばし）を渡っていた。

「気に入った仏像を見つけるというのは難しいものですな。私などは、どれも同じに見える」

「表情が微妙に異なります。まあ、相性というか、直感というか、仏像はご婦人と同じですなあ」

「善次郎さんは、こっちの方も、まだお盛んのようで」

徳兵衛はそう言って、笑いながら小指を立てた。廻船問屋（かいせんどんや）東州屋主人の善次郎と徳兵衛は碁会所（ごかいしょ）の常連同士である。今日は、善次郎が浅草に仏像を買いに行くというので付き合うことにした。ところが気に入った仏像は見つからず、蕎麦搔（そばが）きと、酒を少々腹（はら）に入れての帰り道だ。

人がごった返す吾妻橋の上から大川（おおかわ）を眺（なが）めると、猪牙舟（ちょきぶね）が川を上っていく。

「柳橋（やなぎばし）あたりから吉原（よしわら）に繰り出すのでしょう。昼間だというのに結構なご身分ですなあ」

「まったくです」

そのとき——。三間（けん）ほど離れた背後から、若い女の叫び声が聞こえた。

「痛い。放せ。放せってんだ」

振り返ると、浪人風の男が、若い女の手首をつかんでいる。浪人は女を引きずるようにして二人に近づいてきた。

「この巾着は、あなたのものでしょう」

女は細く白い指で丸々とした巾着を握り締めている。善次郎は慌てて懐を手探りする。

「な、ない。ど、どうして……。私の巾着でございます」

「この女が、あなたの懐から巾着を抜き取るところを見まして、捕らえました」

浪人が手首を捻ると、女は苦痛の声を洩らし巾着を落とす。浪人はその巾着を空中でつかんだ。

「失礼ながら中身を確認したい。巾着の中は……」

「は、はい。十両と……、それから成田山の守り札が入っております」

浪人は巾着を徳兵衛に手渡した。徳兵衛が口紐を解き、中身を取り出すと、十両と成田山のお守りが出てきた。

「間違いないようですな。確かにお返ししましたよ。それから――」

浪人は女に鋭い視線を送った。

「この女のことですが、私にお任せいただきたい。よろしいかな」

「そ、それはもう。捕らえたのはお武家様でございますから。私はただ、お礼を申し上げるだけでございます」

「そうですか。それはありがたい。では、ひとつ頼みがある。この女の右手をつかんでいてもらいたい」

浪人は、女の右手を善次郎の前に差し出した。

「両手でしっかり握ってください。さあ、早く」

気がつけば、あたりには人だかりができている。善次郎は言われた通りにするが、不安を隠せない。

「あ、あの、お武家様は何を……」

「この女の右手を斬り落とす。巾着切りというのは頭ではなく、手が勝手に動いてしまうと聞く。ならば手をなくすしかない」

女の顔は血の気を失い、声を出すことも儘ならない。徳兵衛も慌てふためく。

「な、何もそこまで……。奉行所に突き出せば済むことでございましょう」

「甘いですな。この女のためだ」

「私からも、お願い申し上げます。十両はこうして戻りました。ですから――」

「問答無用」

浪人は疾風のように刀を抜くと、一気に振り下ろす。そこにいた全員が目をそむけた。そして刀を鞘に収める音。女の細い手首には、刀の切先が触れた半寸ほどの細い傷がついた。

「心配するな。血はすぐに止まる。だが傷は残るぞ。その傷を見て、今日のことを思い出しなさい」

善次郎が手を放すと、女は腰が抜けていたようで、その場にへたり込んだ。

「次に見つけたときは本当に斬り落とす。よいな。では、私はこれにて失礼」

徳兵衛は吾妻橋を渡ったところで、善次郎と別れた。浪人が気になったからだ。川沿いの道を両国方面に向かって足早に歩くと、北本所番場町の手前で浪人に追いついた。

「お待ちください。先程は見事なまでのお裁き。感服いたしました」

浪人は爪先で鼻を掻いて苦笑した。

「奉行でもない私に、お裁きとは大層な。いささか余興が過ぎましたかな」

「とんでもないことです。お見受けしたところ長旅のご様子ですが」

肩に笠をかけ、着物や袴のあちこちには継ぎ接ぎが見える。だが「みすぼらしい」よりは「質実」だと思えた。

「ひと月ほど前に津軽を発ちまして、今日、江戸に入った次第です。袴もぼろ切れのようになり、見るに堪えない風体になりました」

「これからどちらに」

「両国の先、三ツ目之橋の近く、林町というところです」

「ほー、それは丁度よかった。途中に私の家がございます。家と申しましても汚い長屋ですが、よろしければお茶でもいかがでしょう」

「それはありがたい。千住から歩き通しで喉が渇きました。それに十年ぶりの江戸で道もわかりません。お言葉に甘えることにいたします」

　自宅の座敷で浪人に茶を差し出すと、徳兵衛はあらたまって正座をし、自らを紹介した。

「私は、このおけら長屋の大家で、徳兵衛と申します」

「島田鉄斎です。見ての通り、しがない浪人です。どうかお構いなく」

　島田鉄斎は膝を正したまま、熱い茶をすすった。

「しかし、津軽からとは長旅でございますな。江戸にはどのような……」

　鉄斎はそのまま茶を飲んでいる。

「立ち入ったことをお聞きして、申し訳ありませんでした」

「いやいや、陸奥国津軽の黒石藩に仕えておりましたが、役目を解任されました。知人を頼り、江戸に出てきた次第です」

「知人とは、どのような……。あっ、いけませんな。また出すぎたことを」

「林町で誠剣塾（せいけんじゅく）という剣術道場を開いている方です。もう何年もお会いしておりませんが、他に頼る人もいないので。とりあえず訪ねてみることにしたわけです」

女スリの手首を刀の切先で掠（かす）めるなど、並みの手練（てだれ）でないはずだ。

「それにしても、よく巾着切りを見抜くことができましたね」

「津軽を発ち、途中の城下町や宿場町の繁華に驚きましたが、江戸は別格です。浅草では人の流れに乗れず右往左往するばかりでした。旅の途中でも、江戸の人波ではスリに気をつけろとさんざん脅（おど）かされたもので、常に注意していました」

「なるほど、そうでしたか。善次郎さん……、巾着を抜き取られたのは私の友人で善次郎というのですが、突然のことで、お礼を申し述べる間もなく悔やんでいることと思います。近いうちに一席設けさせることにいたしましょう」

「いや、それには及びません」

徳兵衛の家の引き戸が勢いよく開き、大きな音をたてる。

「おう、大家さん、いるけえ」

おけら長屋の住人、左官の八五郎（はちごろう）だ。

「何だい、八五郎さんかい。相変わらず騒々しいね。見てわかるだろ。お客さんがいらしてるんだよ」

そんな徳兵衛の言葉など無視して、上がり込んでくる八五郎。

「そいつぁすまねえな。だけどよ、こっちも待ったなしの話なんでえ」

雰囲気を読んで、立ち上がろうとする鉄斎を、徳兵衛がやんわりと制した。

「まあまあ、島田さん。十年ぶりの江戸とおっしゃいましたな。どうせロクでもない話だとは思いますが、江戸っ子を知るよい機会かもしれませんよ。八五郎さん、この方がいてもいいだろう」

八五郎は無造作に座ると、徳兵衛の茶を一気に飲み干した。

「おっ、二本差しの旦那とは珍しいねえ。おれは構わねえよ。二本差しが怖くて日本橋が渡れるかってんだ」

徳兵衛は小刻みに頭を下げる。

「許してやってください。がさつな男ですが、悪気はないもので」

「何をごちゃごちゃ抜かしてやがるんでえ。大家さん、閻魔長屋のお幸ちゃんのことは知ってるだろ」

「ああ、お糸ちゃんの友だちの……。お幸ちゃんも不憫な娘さんだねえ。おっかさん、確か、お菊さんといったね。具合がよくないって聞いたが、まさか、お菊さんが……」

「そうじゃねえんだが」

八五郎には十六歳になる、お糸という娘がいる。緑町にある閻魔長屋に住む、お幸は、お糸の幼馴染みだ。

お幸の父、茂吉は昨年、長患いの末に亡くなった。医者や薬代などで作った借金を返すために、女房のお菊が身を粉にして働いたが、無理が祟ったのか病床の身となる。借金の形として、お幸は千住の岡場所「河文」に年季奉公に出された。このまま借金が返せない場合、お幸は十七歳になったら客を取らされることになる。女郎になるのだ。それまでには三か月しかなく、病床のお菊が十両もの借金を返すなどは不可能だ。

「昨夜、緑町の閻魔長屋に河文のわけえもんが来やがった。わけえもんといっても岡場所のごろつきだがな。聞けば、お幸ちゃんが河文を抜け出したそうだ。風の便りに、おっかさんがもう長くねえことを知って、ひと目会いたくなったんだろう。無理もねえ話だ」

「すると、そのごろつきどもは、お幸ちゃんを連れ戻しに来たわけか」

「そうだ。捕まりゃ、ただじゃすまねえ。きつい折檻を受けるだろうよ」

「それで、お幸ちゃんはどうした。帰ってこなかったのかい」

「ああ。おっかさんに会いたい一心で飛び出したものの、冷静になってみりゃ、店から手が回ってることは承知してるだろ。だからよ、河文のやつらより先に、お幸ちゃんを見つけなきゃならねえってことになる」

「見つけたのか」

「回向院の縁の下に隠れてた。万造と松吉のお手柄だよ。のら猫みてえなやつらだから、妙に鼻が利きやがる。さて、そこでだ――」

八五郎はひと呼吸おいた。

「隠居の隣が空いてるだろ。そこで、お幸ちゃんをかくまうことにした」

「ふーん、隠居って、与兵衛さんの……。な、なんだと。この長屋でか」

「そうだが、何か不満でもあるのか」

「当たり前だろ。それが知れて、そのごろつきどもが押しかけてきたらどうする。怪我人でも出たら、だれが責任をとるんだ」

「そりゃ、もちろん大家さんだろうよ」

「冗談じゃないぞ」

「あのなあ、大家さん。何か勘違いしてねえか。おれは、あんたに相談に来てるんじゃねえんだよ。決まったことを報告に来てるんでえ。四の五の抜かすねえ」

「大家の許可もなしに勝手に決めるな」

「だから、こうして筋を通しに来てるんじゃねえか。じゃあ聞くが、徳兵衛さんよ。あんた、お幸ちゃんがどうなってもいいってんだな。十六歳の生娘が、裸にひん剝かれて、柱に吊るされて、竹で叩かれ、気を失ったら水をかけられ、手込めにされて、無理矢理に客を取らされるんだぞ」

「八五郎さん、あんた、やけに折檻に詳しいね」

「感心してる場合じゃねえ。何としても、お幸ちゃんを助けなきゃならねえ」

徳兵衛は、もうひとつ茶碗を出すと、お茶を淹れ替えた。

「八五郎さんの気持ちはわかりますよ。あんたは、お幸ちゃんのおとっつぁん、茂吉さんとも仲が良かったからね。その茂吉さんが亡くなって、自分がお幸ちゃんの父親代わりにならなきゃって思ってんだろ。お幸ちゃんをこの長屋にかくまって、すべてが丸く収まるなら、それもいいだろう。だが、それからどうする。閻魔長屋にはごろつきがいる。お幸ちゃんは、この長屋から出られない。十両の借金もそのままだ。先のことを考えての行動なんだろうな」

八五郎は含み笑いを浮かべた。

「大家さん、職人だからって馬鹿にしちゃいけねえよ」

「な、何か考えがあるというのか」

「……ありません」

半纏の袖を目頭にあてる八五郎。

「そんな、でかい図体をして泣くのはやめろ」

行き詰まった二人は肩を落としたが、鉄斎は話を聞きながら静かに目を閉じていた。

「こんちはー。お待たせしました」

外から聞こえる声の主は万造だ。徳兵衛と八五郎が表に出ると、大八車の上に円形の棺桶が積んである。その前に立つ万造と松吉。

「相模屋さんのご隠居、与兵衛さんにおかれましては突然のことで、心よりお悔やみ申し上げます。つきましては……」

二軒先の引き戸が開き、隠居の与兵衛がひょっこり顔を出した。

「えっ、あたしがどうかしたって……」

松吉が慌てて与兵衛を家に押し込み、引き戸を閉める。万造が声を落とした。

「八五郎さん、お幸ちゃんを連れてきました。この棺桶の中に入ってます」

「ば、馬鹿野郎」

八五郎の大声に、万造と松吉は同時に、指を唇にあてた。

「おめえたち、縁起でもねえ真似をしやがって」

「そりゃねえでしょう。何としても気づかれねえように、お幸ちゃんを連れてこいって言ったのは八五郎さんじゃねえか。おれと松吉だって、ない頭で考えたんでえ。それで相模屋の隠居が死んだことにして棺桶を借りてきたんじゃねえか」

「隠居はどうするんでえ」

「なーに、憎まれっ子世にはばかるってやつで、また息を吹き返しましたって言やあ、それまででしょう」

「確かに、あの隠居ならありそうな話だ。とにかくその棺桶を中に入れろ」

棺桶を担ぎ込む三人。徳兵衛は自宅に戻ると、鉄斎の前に座り、大きな溜息(ためいき)をついた。

「江戸の長屋というのは面白いところですな」

「面白いなどとはとんでもない。稀(まれ)に事件や珍事が起きるのならともかく、日常茶(さ)飯事(はんじ)です。特にこの長屋は騒動の宝庫で、私の寿命は縮まるばかりです」

「それにしては、お達者のようにお見受けしますが。騒動は長生きの特効薬かもしれませんな」

島田鉄斎の視線を避けるようにして、徳兵衛は微笑(ほほえ)んだ。


「すいません。私のためにご迷惑をおかけして……」

棺桶から出てきたお幸は涙を流すばかりだ。

「お幸ちゃんは、ここで待ってりゃいい。必ずおっかさんに会わせてやるからよ」

八五郎は、万造と松吉の方に向き直った。

「さてと、問題は、どうやってお菊さんをここに連れてくるかだ。閻魔長屋にゃ見張りがいるからよ」

「そのことなら考えてありますよ」

「ど、どんな方法だ」

万造は、お幸をチラリと見た。

「まあ、この場では何ですから、ちょいと外へ出ましょうや」

「そうだな。お幸ちゃん、すぐに女房のお里と、お糸が来る。ここから勝手に出ちゃいけねえよ。わかったな」

万造と松吉は、空になった棺桶を大八車にくくりつける。八五郎はその作業を見ながら不安げに尋ねた。

「その方法とやらを聞こうじゃねえか」

「おう、松ちゃん、話してやんなよ」

「この棺桶を借りてきたのは、お幸ちゃんを運ぶためだけじゃねえんで。お菊さんは具合が悪いってんだから、死んじまったことにすれば連れ出せるってことですよ」

八五郎は唖然としている。

「ねっ、こんな話は、お幸ちゃんの前じゃできねえでしょ」

八五郎は万造の胸ぐらをつかんだ。殴られると察知して頭を抱える万造。

「め、名案じゃねえか。こういうことに関しちゃ、おめえたちの右に出る者はいねえな。それじゃさっそく、閻魔長屋に出発だ。大八車はおれが引くから、おめえたちが押せ」

三人が配置についたところで――。

「ちょっと待ってくれ」

大家の家の前に浪人が立っている。

「あんたは、大家のところにいた二本差しの旦那……」

「悪気はなかったが、立ち聞きさせてもらった。いきなり棺桶というのは、まずくないかな」

三人は顔を見合わせる。

「あんたたちは、どうしてお菊さんとやらが亡くなったことを知ったんだ」

八五郎は万造に「答えろ」という視線を投げかけた。

「それは、その……、風の便りとか、町の噂とか……」

「噂だけで、いきなり棺桶を持っていくのか」

絶句する万造に、八五郎が追い討ちをかける。

「それみろ。だから、おめえたちは間抜けだってんだ」

「八五郎さんだって、名案だって喜んでたじゃねえか」

「うるせえ、この野郎」

取っ組み合いの間に入った浪人は、穏和な表情で二人を引き離した。

「仲間割れをしている場合ではないだろう。その閻魔長屋というのは、ここから遠いのかな」

「いいえ、すぐ目と鼻の先です」

松吉がその方向を指さした。

「それじゃ、ちょっと様子を見に行ってみようじゃないか。案内してほしい。せっかくだから大八車も引いていくか」

閻魔長屋への路地に入る角に立ち止まる。松吉は顔を半分覗(のぞ)かせて、浪人に教えた。

「右の奥から三軒目が、お菊さんの家です。前に二人、男がいるでしょう。お幸ちゃんを連れ戻しに来たごろつきでさあ」

趣味の悪い着流し姿の男二人が、手持ち無沙汰(ぶさた)な様子でうろついている。お菊の家の中から皿を持った女が出てきた。

「あれは――」

「長屋のおかみさん連中が、お菊さんの面倒をみてるんで。ごろつきの目的はお幸ちゃんだけですから、それ以外の出入りは自由なんです」

「なるほど。それじゃ行ってくるか。合図をしたら急いで大八車を持ってくるんだ。頼んだぞ」

「ちょっと旦那、行くって……」

浪人は八五郎たちの言葉などお構いなしに歩きだす。お菊の家の前に着いた浪人は、ごろつき二人に何やら話しかけた――、と思った瞬間、続けざまに刀の柄が、みぞおちに突き刺さり、二人は崩れ落ちた。

「な、何だとー。あの浪人は何者だ。おい、手招きしてるじゃねえか。こうなったら乗りかかった船だ。行くしかあるめえ。万造、松吉、大八車を押すんだ」

お幸の前に棺桶が置かれた。万造が息を切らしながら――。

「お幸ちゃん、おっかさんだよ」

お幸は、その場で泣き崩れた。

「おっかさん、どうして……。生きているうちにひと目会いたかった……。おっかさん……」

八五郎と松吉が、同時に万造の頭を張り倒す。

「馬鹿野郎。少しは状況をわきまえろ。どう考えたって、死んじまったと思うだろ」

「だってよ、お幸ちゃんだって、生きたまま棺桶に入ってきたんじゃねえか」

　八五郎が棺桶からお菊を抱き起こすと、お里と、お糸が布団に寝かせる。思ったよりも元気な母の姿に、お幸は安堵したようだ。女たちを残して、四人は徳兵衛の家へと移った。

「ところで、こちらさんは……」

　八五郎、万造、松吉の三人は、浪人のことをまるで知らない。

「島田鉄斎というお方だ。浪々の身ということだが、私も今日知り合ったばかりで、詳しいことは何も……」

「島田鉄斎と申します。お見知りおきを」

　三人は同時に低頭する。

「しかし、島田さんも無茶なことをやってくれましたな。これからどうするおつもりで」

「江戸は面白いところですなあ。まだ半日だというのに、次々と事件が起こる。明日からが楽しみです」

　徳兵衛は呆れ顔だ。

「笑いごとではありませんよ。手下が二人も倒されたとあっちゃ、向こうも黙ってはいないでしょう。ここだって、いつ見つかるかわかりません。まあ、何か考えがあってのことでしょうが」

「いえ、特に考えはありません」

「そ、そんなあ……。それじゃ、この三人と同じじゃありませんか」

「私は、八五郎さんの話を聞いたり、万造さんと松吉さんの行動を見て感服したのです。先のことを考えてしまっては何もできなくなります。まさに武士の世界がそうでした。素晴らしいではありませんか。先のことなど考えずに行動する。真実はそこにあるのではないかと。その結果、実際にお菊さんと、お幸ちゃんは、あのように会うことができたではありませんか。これから起こることは、そのときに考えればよい。自分たちの振る舞いが、天に恥じないことならば、なんとかなるはずです」

　この手の話に弱い八五郎が泣きだした。

「島田の旦那、あっしは旦那に惚れました。男が男に惚れました。あっしら三人、命に換えても、お幸ちゃんを守ってみせます」

　上の空で話を聞いていた万造と、松吉は我に返る。

「ちょっと待ってくれよ。いつからおれたちが仲間になったんでえ。おれたちは、ただ、お幸ちゃんを捜してこいって言われたから……」

「そうだよ。八五郎さん、一歩間違えば、こっちの命も危ねえってえのによ」

「てめえら、それでも江戸っ子か。もう賽を投げちまったんだ。あとは丁と出るか、半と出るか、それだけでえ」

肩を落としかけた万造だが、何かが頭に浮かんだようだ。

「大家さん、島田の旦那の腕は相当なもんだ。ごろつき二人が一瞬のうちに気を失ったんですから。やつらはいつ襲ってくるかもしれねえ。しばらくの間、島田の旦那に居てもらいましょうよ」

松吉も自らの保身のために続ける。

「そうですよ。長屋の連中に、もしものことがあっちゃならねえ。島田の旦那が居てくれりゃ百人力だ」

視線が島田鉄斎に集まる。

「私は何の用事もない身ですから。ただし、飯だけは食べさせていただきたい」

しばらくの間、島田鉄斎は徳兵衛の家で暮らすことになった。お菊母娘の部屋は隣なので、異変があればすぐ駆けつけることができる。

「こうしていても埒があきません。これから千住の河文とやらに出向いてみるつもりです」

唐突な切りだしだったが、徳兵衛は驚かなかった。

「八五郎さんたちにも声をかけましょうか」

「いざというときには一人の方が動きやすい。心配は無用です」

千住の賑やかな表通りを折れ、安酒場や遊戯場が連なる下卑た路地の奥に「河文」はあった。宿を兼ねた料理屋であるが、その実は遊女屋である。飯盛り女の本業は飯の給仕ではない。

暖簾を潜ると、見覚えのある男に出くわした。

「うわあー。あ、兄貴、こ、この野郎です。この野郎が閻魔長屋で……」

「おお、元気そうだな。みぞおちはまだ痛むか」

鉄斎が近づくと、若い男は後ずさりして尻餅をついた。

「た、助けてくれ」

奥に延びる廊下から無表情な男が現れて、腰を抜かしかけている手下の背中を蹴り上げた。

「邪魔だ。すっこんでな」

男の背後には目つきの鋭い浪人が二人。用心棒だろう。

「島田鉄斎と申す。ちと用件があって、お伺いした。よろしいかな」

男は腰を割って独特の挨拶をする。

「そりゃ、ご苦労なこって。どうぞお上がりください」

鉄斎は六畳の座敷に通された。鉄斎と対峙するのは、その男一人だが、襖の裏に人の気配を感じる。

「手前は、この河文の番頭で銀次と申します。先日は、うちの若いもんがかわいがっていただいたそうで……」

「申し訳ない。この通り謝る。こっちも雇い主の命令でな。仕方なかったのだ」

何か違和感を覚えるのは、この銀次という男の態度だ。虚勢とも思えぬ余裕がある。

「いやいや、もう済んだことですから。それより、島田さんといいましたね。失礼ながら、ご浪人とお見受けしますが、かなりの腕だそうで。どうですか、うちで用心棒として働いてみちゃ」

「面白そうだな。手当はいかほどかな」

「それは、島田さんの働き次第ですよ」

「私を、お幸という娘の代わりに雇うというのはどうだ」

「冗談言っちゃいけません。あの娘は、これから河文の稼ぎ頭になります。島田さんとじゃ釣り合いがとれませんや」

銀次は鉄斎を馬鹿にしたように笑った。

「そうそう、お幸といやあ、島田さん。都合のいいときに来てくださいましたねえ。島田さんがあっちにいると厄介なことになるんで。長屋の連中だけなら、赤子の手を捻るようなもんですから」

　この男の余裕は、やはり悪い暗示だったのか——。

「ど、どういうことだ」

「島田さん、この商売を馬鹿にしちゃいけませんぜ。女が逃げるなんてえのはよくあることで。蛇の道は蛇っていうでしょう。女の行方なんてもんは、あちこちから耳に入ってくるもんです。私の兄貴分が若いもんを連れて、もう、おけら長屋に到着するころです」

　まずい。千住から本所まで走っても一刻（二時間）以上はかかる。長屋から離れるべきではなかった。とにかく、おけら長屋に戻らなければならない。鉄斎は刀を手に立ち上がる。

「もう、間に合わないと思いますよ。島田さん、どんな関係だか知りませんが、あんな小娘一人に情けをかけてるようじゃ、江戸では生きていけませんよ。ああ、それと、用心棒の件、気が向いたらいつでもどうぞ」

　座敷を飛び出した鉄斎は、銀次の笑い声を背中に受けながら駆けだした。街道に出ると、運良く、馬子がやってきた。

「すまんが馬を借りたい。本所亀沢町のおけら長屋だ。馬と代金はそこまで取りに来てくれ。頼む」

鉄斎は馬子の返事も聞かずに馬に跨ると、手綱を握って走り去った。

徳兵衛の家に飛び込んできたのは見覚えのある娘だ。

「あ、あんた、この長屋の大家さんだろ」

娘は息を切らして苦しそうだ。徳兵衛は、その娘を思い出すのに少しの時間がかかった。

「お、お前さんは、吾妻橋の女スリじゃないか。な、何だい、いきなり」

「詳しいことを話してる時間はないんだ。あいつらが来るよ、お幸ちゃんを連れ戻しに。三、四人はいる。お幸ちゃんがここに隠れていることを知ってるんだ。は、早くなんとかしないと……」

「嘘じゃないだろうな」

娘の表情に偽りはなかった。

「あと、どれくらいでここに来るんだ」

「四半刻くらい」

徳兵衛が表に出ると、松吉が井戸で水を汲んでいる。

「おい、大変なことになった。八五郎さんと万造、それだけじゃない。長屋の連中を集めてくるんだ。河文のやつらが、お幸ちゃんを連れ戻しに来る」

「な、何だって。島田の旦那は」

「その河文に行ってしまった。とにかく人を集めるんだ」

徳兵衛はその足で、お菊とお幸のところに向かう。お幸は、病床で眠る母親の顔を見つめていた。

「お幸ちゃん、おっかさんを起こすんだ。もうすぐ河文のやつらが来る。とにかくここから逃げるんだ」

お幸は何かを悟ったかのように落ち着いている。

「徳兵衛さん、おっかさんを動かすのは無理です。もういいんです。こうして、おっかさんの息のあるうちに会えただけで充分です」

「それじゃ、お幸ちゃんだけでも逃げるんだ。おっかさんのことは心配ない。お里さんや、お糸ちゃんがいるから。さあ、早く」

お幸は、母親の顔を見つめながら――。

「逃げても……、結局はその先の方々にご迷惑をおかけするだけです。おけら長屋のみなさんにも、こんなに迷惑をかけているじゃありませんか。十両の借金を作ったのは私たちです。借りたお金は返さなければなりません。だから河文に帰ります」

徳兵衛は返す言葉が見つからずに俯いた。ただ時間だけが過ぎていく。

八五郎、万造、松吉、それにおかみさんたちも集まりだした。徳兵衛は、家の前で、お幸の気持ちをそのまま伝えた。重い空気が漂う。

「関係ねえな」

八五郎が呟いた。

「お幸ちゃんは、お幸ちゃん。おれたちは、おれたちだ。そんな野郎どもにお幸ちゃんを奪われたとあっちゃ、おけら長屋は江戸中の笑いもんでえ。どうする、おめえたち」

目を向けられた万造と松吉も、この状況では後に引けない。

「こうなりゃ雪隠の火事でえ。やるしかねえ。おう、松吉、出刃に、心張り棒を持ってこい」

「八五郎さん、あたしたちも、お幸ちゃんを守るからね。薪雑把を持ってこよう」

おかみさん連中も参加するつもりだ。おけら長屋の住人たちが家の前に陣取ったところで、計ったように四人の男が路地に現れた。その姿を確認した一同は、それぞれに武器を手に身構える。その前で立ち止まった四人の中で、一番格上と思われる男が歩み出た。

「江戸の町中で百姓一揆とは笑えるじゃねえか」

「うるせえ。おめえたちこそ何をしに来やがった」

「この中に、お幸っていう娘がいるでしょう。返してもらいてえんだよ。うちの大切な商売もんなんでねえ」

「けーっ、おととい来やがれ。お幸ちゃんは、おけら長屋の客なんでえ。てめえたちなんかに渡してたまるけえ」

長屋の連中も一斉に声を上げる。

「そうだ、そうだ。人の弱みにつけ込みやがって。利子が十一の悪徳金貸し」

「女だからってなめんじゃないよ。すりこぎで脳天をかち割ってやるから」

「帰れ、帰れ。とっとと帰りやがれ」

一触即発の事態となった。男の表情も険しくなる。

「いい度胸だ。だが、おれたちもガキの使いじゃないんでね。おいそれとは帰れねえんだよ。おい」

男が顎をしゃくって指示をすると、背後にいた三人の男が、懐から合口を抜いた。そのとき、馬の蹄の音とともに、鉄斎が長屋の狭い路地に走り込んできた。

「待て、待て、待ってくれ」

鉄斎は馬から飛び下りると、長屋の連中の方を向いて両手を広げた。

「手を出してはいけない。たとえお幸ちゃんを守るためであっても、人を傷つけたら罪人だ。ここは私に任せてほしい」

そして、ゆっくりと男たちの方に振り返る。

「あ、兄貴、こいつです」

閻魔長屋の前で気絶させた若い男だ。

「ご浪人さん、困るんですよ。世間の道理ってもんくらい、おわかりになるでしょう」

この男たちを、この場で打ち据えるのは容易い。だが、それからどうする。お幸は紛れもなく借金の形に取られているのだ。相手は素人ではない。面子もあるだろうから、お幸を諦めることはない。どうすればよいのだ。

「長屋のみなさん、ご浪人さん。理不尽なのはどちらなんでしょう。何もしていない娘をさらっていこうってんじゃない。十両の借金が返せないっていうから連れていくんです。ここで十両を用意してくれりゃ、証文を置いてすぐに帰りますよ。どうなんです」

男の言うことには筋が通っている。鉄斎は何も言い返すことができない。

「だいたい、証文ってものを軽くみちゃいけません。奉行所でも正式に通用するものです。その証文に書いてあるんですよ。それを納得して、お幸と母親は金を借りたんです。ほら、ここに、こうして――」

男は懐の中に右手を差し入れる。

「えっ、な、ない。証文が……。千住を出たときには確かにあったのに……」

この好機に便乗するしかない。

「その証文とやらを見せてもらおうか」

鉄斎の言葉に、男はしどろもどろになる。

「そ、その、証文は店に保管してある。証文なんざ、関係ねえ」

鉄斎は薄笑いを浮かべた。

「証文を軽くみるなと言ったのはだれだ。とにかく証文を確認しない限り、お幸ちゃんは渡せない。証文を持って出直してくるんだな」

男たちは渋い顔をして引き返していった。

鉄斎は長屋の連中を諭す。

「あなたたちの気持ちはわかるが、無茶をしてはいけない。今後のことは徳兵衛さんと相談しますから、私たちに任せてください」

徳兵衛の家で渇いた喉を潤した鉄斎は、大きな溜息をついた。

「今日のところは何とか収まりましたが、さて、これからどうすれば……」

徳兵衛も落胆した様子だ。

「まさに八方塞がりですな」

「ところで、昼日中だというのに、八五郎さんや万造さんたちが長屋にいたのは幸いでしたね」

　徳兵衛は膝をひとつ叩いた。

「そうだ。島田さん。吾妻橋で捕まえた女スリが訪ねてきたんです。河文のやつらがお幸ちゃんを連れ戻しに来る、って教えてくれました」

「それで、その女スリは」

「そういえば、それから姿が見えませんな」

　鉄斎は静かに立ち上がると、土間に下り、勢いよく引き戸を開いた。

「だれだ」

　そこには女スリが立っていた。女と呼ぶにはまだ幼い娘は、座敷に正座をすると、懐から書状を取り出し、鉄斎に差し出した。

「こ、これは、お幸ちゃんの証文じゃないか。な、なるほど、そうだったのか……」

「どういうことですか、島田さん」

「いきさつはわかりませんが、さっきの男の懐からスッたのでしょう。さて、どういうことか話してもらおうか」

　娘は取留(とりと)めもなく語りだした。

「吾妻橋の後、あんたのことをつけたんだ。理由はあたしにもわからない。スリを見抜かれて悔しかったのかな。それとも、あんたの言葉が心に響いたのかな。とにかく、あんたのことを調べたくなったんだよ。そして、お幸ちゃんのことを知った。あたしね、十歳まで閻魔長屋に住んでたんだ。お幸ちゃんともよく遊んだ。十歳のときに一家で夜逃げをして、親には捨てられた。でも、捨てる神あれば拾う神ありっていうだろ。女スリの頭に拾われて、今じゃこの有り様さ。でも、お幸ちゃんのことは助けたかった。今朝、河文って店を確かめに行ったんだ。しばらく様子をうかがってたら、あの男たちが、おけら長屋に行くっていうじゃないか。兄貴って呼ばれてた男が懐に証文をしまい込むのも見た。あれさえなければ、お幸ちゃんは自由になれるって思ったんだ。だから証文をスルことにした。途中で証文を抜き取って走った。やつらが来ることを教えなきゃいけないだろ。それからは、あんたたちも知っての通りだよ」

娘は歪んだ顔で鉄斎のことを見つめた。

「あんたとの約束を破っちまったね。この手首の傷を見たら、本当にこの稼業から足が洗える気がしてたんだけど。でも、またやっちゃった。この手首、あんたになら斬り落とされてもいいよ。それで、お幸ちゃんが自由になれるなら……」

娘の頰を伝った大粒の涙は、畳の上にこぼれ落ちた。

そこにやってきたのは、東州屋善次郎だ。くしくも吾妻橋事件の四人が揃ったことになる。

「徳兵衛さんから、お幸ちゃんという娘のことを聞きましてね。借金は十両だそうですな。この娘さんに抜き取られた金がちょうど十両。島田さんがいなければ、なくなっていた金です。これも何かの縁でしょう。この金を、お幸ちゃんとやらのために使ってください」

善次郎は鉄斎の前に、十両を置いた。

「これで、私は十両の損。この娘さんも、スッた金を取り上げられて十両の損。おあいこですなあ」

鉄斎は深々と頭を下げた。

「お前さんは、こんな人の懐から金をスッたんだ。恥ずかしくはないか」

娘は小さく頷いた。

「お前さんなら、きっと足を洗えるさ。ところで徳兵衛さん、困りましたなあ。証文もここにあるし、十両もある。どうしたものか……」

徳兵衛は嬉しそうだ。

「島田さん、この前、言われたことを覚えてますか。『自分たちの振る舞いが、天に恥じないことならば、なんとかなる』と。これが、その答えなのでしょうな」

鉄斎の目にも涙が光った。

「それじゃ、お幸ちゃんのところに行くか。久しぶりの再会だろう」

「こんなあたしが、お幸ちゃんに会えるわけないだろ。あんた、女心がまるでわかっちゃいないね」

その夜、お菊は、お幸に看取られながら、静かに息を引き取った。万松の借りてきた棺桶が、本当に役立つことになる悲しい夜だった。

翌日、鉄斎は河文に十両を返済し、お幸の件はすべて清算された。お幸は善次郎の計らいで、東州屋に住み込みで働くことになった。女スリの行方はわからない。

徳兵衛は自宅で、鉄斎に酒を振る舞った。

「お菊さんとお幸ちゃんのいた家が空いてしまいました。どうです、住んでみては。長屋暮らしも悪くはありませんよ」

こうして、鉄斎は、おけら長屋の住人となった。

本所おけら長屋　その参

もののふ

仕事帰りに、大横川にかかる北辻橋で出くわした万造と松吉は、さっそく一杯ひっかける相談になった。

「緑町にできた居酒屋に、乙な年増がいるってよ」

「またかよ。大年増の間違いじゃねえのか。万ちゃんの噂話はあてにならねえからよ。おれは、わけえのがいいねえ。肌に張りがあって、モチモチっとしててよ。指先で押すと撥ね返ってくらあ」

万造は鼻から音を出して息を吐く。

「相変わらず野暮な野郎だな。女なんてえのは枯れはじめてから艶が出てくるもんだ。神社の境内にある石灯籠を見てみろ。新品で光ってたら風情を感じねえだろ。寂れて苔が生えてこその石灯籠じゃねえか」

「石と女を一緒にするな。苔が生えてる女なんざ、まっぴらだ。比べるんなら同じ生き物にしろい。たとえば魚だ。新鮮なものが旨いに決まってらあ。鰹だって青々としてなきゃいけねえ」

「魚と女を一緒にするな。ケツが青けりゃ、まだガキじゃねえか」

二人の喧嘩は、この程度の話題からはじまるのが常だ。ところが、今日は喧嘩が勃発する前に、二人の目は、ある男の姿をとらえた。その男は、三ツ目之橋の欄干にもたれかかるようにして座り込んでいた。

「乞食にしちゃ、身ぎれいじゃねえか」

「だが、普通の野郎にしちゃ汚ねえな」

「具合が悪いのかもしれねえ」

「酔ってるんじゃねえのか」

　こうなると、江戸っ子の「性（さが）」というやつで素通りできなくなる。丸くなった背中と腰の間からは、刀が確認できるので、侍（さむらい）なのだろう。万造は男の背中を軽く叩（たた）いた。

「もしもし、どうしましたか」

　男からの反応はない。次は少し力を強めた。

「もしもし、生きてますか。お武家さん」

　その男は、やっとの思いで振り返った。月代（さかやき）は雑草のように毛が伸び、無精髭（ぶしょうひげ）はまるでタワシだ。

「す、ま、ぬ……。みっ、ほ、な……」

　何を言っているのか、さっぱりわからないので、松吉が耳を近づけて聞き直し、その言葉を繰り返した。

「みっか、ほど、なにも、たべて、いない」

　侍は力なく頷（うなず）いた。

「限りなく、乞食に近かったってわけか」

万造の失言に、松吉は苦笑する。

「よせやい。でも、どうする。このままじゃ飢え死にだ」

「とりあえず、長屋に連れてけえるしかねえだろ。情けは人の為ならずって、ご隠居さんが言ってたぜ。これは世を忍ぶ仮の姿で、本当はどこかの殿様かもしれねえ。恩を売っておけば、後でたっぷり褒美がもらえるって寸法よ」

「どう見ても、殿様って顔じゃねえが、こうなりゃ仕方あるめえ。行き倒れの侍の面倒をみるなんざ、なんとも酔狂じゃねえか。よう、お侍さん、立てますかい。この近くにおれたちの長屋がある。尾頭付きってわけにはいかねえが、朝飯の残りと沢庵くれえならあらあ。ほら、おれの肩につかまってくだせえよ」

侍を松吉の家に担ぎ込み、残飯を粥にする。三日ぶりの食べ物に胃が驚くといけないからだ。侍はその粗末な粥を、味わい、噛み締めながら食べた。箸を置くと、その場で倒れるように横になり、寝息を立てる。

「なんて野郎だ。もうイビキをかいてやがる」

「よっぽど、疲れてたんだろうよ」

侍が起きてきたのは、翌朝になってから。半日以上も寝ていたことになる。

「すまぬ。この恩義は生涯忘れん」

正座をした侍は丁寧に礼を述べた。

「たかが粥で、生涯忘れぬ恩ってえのも大袈裟ですけどね。でっけえ握り飯を五つほど作ってありますから、夕方までゆっくりしててください。あっしは仕事のある身なんで。なーに、気にすることはありませんや。盗られるものは何もありませんしね。実はね、昨日、もう一人男がいたでしょ。あの男と、お侍さんの素性……、いや、その、いろいろと話が出ましてね。どっちの目が正しいか賭けをしてるんで。お侍さんにいてもらわねえと困るんですよ。まだ、お身体の方も辛いでしょうから、休んでいてください」

その日の夕刻、松吉が帰宅すると、家の様子がおかしい。最後に掃除をしたのは、去年の大晦日なので、一目瞭然だ。畳は青さを取り戻し、埃が積もっていた土間の梁などは黒光りしている。唖然として眺めていると、たらいと雑巾を持った侍が入ってきた。

「戻られたか。拙者、金子の持ち合わせもなく、一宿一飯の恩義を返す術がない。考えた末に掃除をすることにした。感謝の気持ちを込めて磨きましたぞ」

「そ、そりゃどうも。お侍さん、とりあえず湯屋と床屋に行きましょうや。そのくれえの銭は持ってますんで。あっしの家よりも、ご自分を磨くのが先だと思いますよ」

湯屋で身体を流し、床屋で髷を整えると、侍の外見は一変する。四十近いと思われた風体も十歳は若く見えるようになった。

日が暮れると、肴を持った万造がやってくる。

「へえー、こりゃ、見違えましたね。やっぱり、おれの目に狂いはなかったのかもしれねえ」

侍は万造に対しても丁寧に礼を述べた。

「そういえば、お侍さんの名前を聞いていませんでしたね」

侍は膝に両手を置いた。

「拙者、天童藩馬廻役、清水寿門と申す」

「えっ、馬廻役ってえと、殿様の馬のまわりで、うろちょろしてる……」

「おい、万ちゃん、よさねえか」

慌てて松吉が話をさえぎる。

清水寿門は、思わず吹き出した。

「うろちょろとは、言い得て妙でござるな。まったくもって、その通りだ」

その笑顔には人の良さが滲み出ている。

「あっしは、この長屋に住む、酒屋の松吉。こいつが、米屋の万造といいます。ですから、米と酒だけはなんとかなるんで。酒はいける口なんでしょう」

松吉が徳利を差し出すと、寿門は茶碗で受ける。

「かたじけない。酒まで馳走になるとは」

万造は、まだ納得できない様子だ。

「その馬廻役ってえのは、本当の話なんでしょうね。実は世を忍ぶ仮の姿、その正体は、どこかの殿様の腹違いの弟君とお見受けしたのですが……」

「あははは。江戸の方は話が面白いですなあ。拙者の家は代々、天童藩の馬廻役。三十俵二人扶持という下級武士です」

がっくりする万造。

「これで決まったな、万ちゃん。年増の店で奢るのは、おめえだ」

寿門は呑み干した茶碗を静かに置いた。

「その馬廻役も、拙者の代で終わるかもしれませんが」

「そりゃ、どういうこって」

「実は、父の敵を捜して放浪しております」

万造が飛びつきそうな展開だ。

「仇討ってやつですかい。芝居で観たことはあるけどよ、いいねえ、あれは……」

万造は箸を刀に見立てて斜に構えた。

「河原なんかでよ『父の敵、いざ尋常に勝負、勝負』『何をちょこざいな。返り討ちにしてくれるわ』なんてな」

「馬鹿野郎。芝居と一緒にするな。でも、実際に仇討なんてもんがあるとは驚きだ。こうして清水さんと知り合ったのも何かの縁です。いきさつを話しちゃもらえませんか」

　松吉が酒を注ぐと、寿門は遠くを見つめるように語りだした。

「三年半ほど前のことです。藩内の酒場で、ちょっとした騒ぎがありまして。騒ぎといっても、無頼な侍が酔って暴れただけのことですが。酌をしろと店の女を追いかけ回し、その女が店から逃げ出したところで、拙者の父、清水源吾とぶつかった。女は父に助けを求めます。考えてみれば、父も運のない男です。父は女の前に出て、店から出てきた侍と対峙します。温厚な性格の父は、相手を諭そうとしたのですが、興奮した者は、冷静な相手に対して余計に怒りを覚えるものです。その侍、浅利拓馬というのですが、浅利はいきなり父を袈裟斬りにして、父は絶命。浅利拓馬はその場から出奔しました」

「『しゅっぽん』ってえのは、すっぽんの仲間ですかい」

「いえ、逃げて姿をくらますということです」

　万造は茶碗酒を一気に呑み干す。

「なんて野郎だ。しかし、お父様もとんだ災難でしたねえ。自分は何も悪くないのによ」

「ところが、武士の世界はここからが大変でしてね。浅利拓馬に正面から斬られ、刀を抜くこともできなかった父は、武士の面目を失います。まだ私は、家督を相続する前だったので、清水家の継承は許すべからずの風潮が高まりました。武士にとっては、お家第一。私が家を継がなければ、母と妻、そして私の三人は路頭に迷うことになります。ですが、清水源吾に非はなく、それではあまりに非情との声もあり、藩の評定では、嫡男の私が浅利拓馬を討てば家名の継承を許すということになりました。そして、仇討免状をもらったのです」

「それから、三年半ですか……」

出るのは溜息ばかりである。

「なあ、松ちゃんよ、武家なんぞに生まれねえでよかったなあ。無理無体にもほどがあらあ」

「まったくでえ。武士の意地だか、面目だか知らねえが、そんなもんに振り回されるなんざ、たまったもんじゃねえ」

「それに――」

寿門は力なく目線を落とした。

「仇討は決闘なんです。ですから、相手にもこれを迎え撃つ正当性が認められています。返り討ちにされても仕方ありません。拙者の家系は祖父の代から、剣術はまるで不得手でして、剣客と噂される浅利拓馬を見つけだしたとしても、斬り殺されるのが関の山です」

「かといって、浅利拓馬を斬らなければ、国には帰れない」

「しかも国では、母親と奥方が朗報を待っているってか」

二人は、自分たちの会話が、さらに寿門を追い込んでいることに気づいていない。松吉が思い出したように首を上げた。

「ところで、清水さん。どうして三ツ目之橋で倒れてたんですかい」

「それだよ」と万造も手を打った。

「天童を旅立って三年半。風の噂を頼りに、上方、尾張、甲州、上州……。金子が尽きると、人足の真似ごとをして小銭を稼ぎ、また次の土地へ。信濃で天童藩に出入りしていた行商人と知り合いましてね、江戸で浅利拓馬を見かけたというのです。その行商人の話によると、浅利は天童藩を出奔してから、すぐに江戸に入り、本所深川あたりの剣術道場に転がり込んだとか。拙者の旅は意味のないものだったのです。拙者は、すぐに江戸を目指しました。飲み食いもせずに歩き続け、一昨日、江戸に入りましたが、あまりの空腹と疲労で、あのような失態をお見せすることになりました」

万造と松吉の病気ともいえる「お節介」という爆弾の導火線に火がつくころだ。

「松ちゃんよ、本所深川には、どれくらいの剣術道場があるんだ」

「さあ、五つ、六つってところじゃねえか」

「それなら、すぐに調べられるだろ」

「清水さん、その浅利とかいう野郎は、どんな顔をしてるんですかい」

「そ、それが、拙者、浅利拓馬の顔を見たことがないのです」

「な、なんだと。それじゃどうやって捜すんだよ」

寿門は折りたたんだ紙を懐から取り出し、畳の上に広げた。

「これが、浅利拓馬の似顔絵です」

「ちょっと待ってくださいよ。これじゃ子供の落書きでしょ。人かどうかもわからねえ」

「なにせ、国を出て三年半。似顔絵が古くなると、土地の絵師に描き写してもらったが、だんだん変わってきてしまったのだ」

万松の二人は必死に笑いを堪えた。

「さて、似顔絵はあてにならねえと……。それじゃ、年齢、背格好、その他の特徴とまいりましょうか」

「背は、私より頭ひとつほど高い。筋肉質で、顔は彫りが深いと聞いている。剣術が強く、天童藩を出奔して、すぐに江戸に入ったとすると、今から三年半ほど前に、このあたりに住みついた人物です。それから、どちらかの脇腹に梅干しほどの痣（あざ）がある。拙者が知っている浅利拓馬のことは、それくらいなのです」

　松吉は浅利拓馬の特徴を、指を折りながら話した。

「なるほどね。とにかく清水さんは江戸に出てきたばかりだ。本所深川のこともわからねえでしょう。とりあえず、しばらくはここで身体を休めてください。浅利って男のことは、あっしと万造で調べてみますから」

　その万造は、何やら下卑（げび）た笑いを浮かべている。

「ところで、清水さん。もし仇討が成就（じょうじゅ）したときのことなんですが。この裏に芝居の戯作者（げさくしゃ）が住んでましてね。この仇討物語を書いてもらいましょうよ。清水さんの手足となって大活躍する、おけら長屋の万造と松吉。この芝居があたりゃ、おれたちは江戸の有名人だ。ねえ、いいでしょう」

　その夜は、清水寿門を松吉の家に寝かせ、松吉は万造の家に泊まることにした。二人は酒の続きをはじめる。

「松吉、おめえ、おれと同じことを考えてるだろ」

「ああ、たぶんな」

しばらくの間、二人は黙っていた。口火を切ったのは万造だ。

「島田の旦那が、ここに来て何年になる」

「三年と少しじゃねえかな。大家の話によると、何でもその前は、北国の藩にいたとか」

「天童藩ってえのも、北国だよな」

「剣術道場に通ってるな」

「おまけに、背が高く、彫りが深くて、剣術がつええ」

「万ちゃん、こりゃ、まちげえねえぞ。おれたちは、とんでもねえ人を拾っちまったのかもしれねえ」

「ああ、三年半もあちこちを捜し続けた敵が今、同じ長屋で寝てるんだ。だいたい、おめえが酔狂とか抜かしやがるから、こんなことになったんだ」

「おめえこそ、褒美がどうのってほざいてたじゃねえか」

「よそうぜ、喧嘩してる場合じゃねえ。問題は、これからどうするかだ」

　考え込んでいた万造が――。

「ここは、やっぱり嘘も方便ってやつだな」

「どうするんでえ」

「おれたちが調べたら、確かに浅利拓馬という男は深川の剣術道場にいた。だが、二年ほど前に行方を晦ました。それしかねえだろ。あの清水って侍が、島田の旦那に勝てると思うか。返り討ちどころか、勝負にもなるめえ」

「ちげえねえな」

「おれは嫌いじゃねえよ。あの清水って人が。武士としてはどうだか知らねえが、いい人だ。みすみす死なせるわけにはいかねえだろ」

その話を聞いて納得した松吉だが――。

「でもよ、それから清水さんはどうなる。おれたちの嘘を信じて、またあてもなく彷徨(さまよ)い続けるのか。国には母親と奥方が待ってるんだぜ」

「斬られて死ぬよりマシじゃねえか」

「ちょっと待てよ」

ここで松吉は、酒で喉(のど)を潤(うるお)した。

「よく大家が言ってるだろ。『万松の勇(いさ)み足』ってよ。考えてみりゃ、あの島田さんが酔って女の尻(しり)を追い回すとは思えねえ。しかも、いきなり斬りつけるなんざ」

「いや、人間なんてもんはわからねえぞ。そんな過去があったからこそ、心を入れ替えたってこともある」

「こりゃ、脇腹の痣を確かめるしかねえな。敵が島田さんでないとわかりゃ、おれたちも肩の荷が下りるってもんだ。なあ、万ちゃん、おめえ、島田さんと湯屋に行ったことはねえのか」

「あるが、男の裸なんて見ねえからな。女郎の身体なら黒子の位置まで覚えてるけどよ」

「まったくでえ」

翌日、島田鉄斎が湯屋に行くのを待って、万造が脇腹を確かめることになった。清水寿門が「世を忍ぶ仮の姿」ではなかったために万造は松吉に奢ることになったが、それをこの調査で帳消しにさせた。

湯屋の脱衣場で偶然を装う万造。

「おっ、これは島田さん」

「万造さんか。こんな時間に湯屋とはいい身分だな」

「今日は、仕事も暇なもんで、早帰りでさあ」

帯を解き、着物を脱いだ島田鉄斎は下帯をつけている。早くその下帯を解けと念力を送る万造だが、鉄斎は剣術の稽古の疲れをとるためか、腕や足を擦っている。

「そういえば、松吉さんの家に、侍が居候しているらしいな」

「えっ、まあ……。旅の途中で金を失くした間抜けな侍でしてね。おもしれえから、しばらく面倒をみることにしたんで」

「ほう。それはまた酔狂な。あんたたちのやりそうなことだ。どちらの藩の方かな」

「なんでも、北国の方とか」

「北国か、懐かしいな。私も話がしてみたいものだ」

「話だけで済みゃいいけど……。いや、なに、こっちの話で」

鉄斎は下帯を解きはじめた。ところが、鉄斎の脇腹には膏薬が貼ってある。

「ど、どうしたんです、その膏薬は」

「これか。昨日、道場で三人掛かりという、一度に三人を相手にする荒稽古をやったのだが、不覚にも一本とられた。まだ少し痛む」

万造は心の中で「早く膏薬を剝がせ」と叫ぶ。そんなことを知らぬ鉄斎は膏薬の上から脇腹を摩っている。気の短い万造がイラつくのも当然だ。

「島田さん、膏薬ってえのはアブラでしょ。そんなもんをつけて湯にへえったら迷惑になりますよ」

「なるほど。万造さんの言う通りだ。だが、この膏薬は高価なものでね。剝がすのは勿体ないからな。今日は湯で身体を拭くだけにするか」

「何を言ってるんですか。湯屋ってえのは身体を温めるもんです。そんなら長屋の井戸で拭けばいいでしょう。膏薬の代金と湯屋の代金は、そんなに違うんですかい」

「万造さん、今日はやけに絡むな」

「べつに、そんなことはありませんけどね。それで、どうするんですか。膏薬を剝がすんですか、剝がさねえんですか。どっちか、はっきりしやがれ」

「何を怒っているんだ。そこまで言うなら、剝がして湯に入ることにしよう」

「はじめから素直に、そうしてくれりゃよかったんですよ」

　鉄斎は膏薬を剝がした。ところが膏薬で肌が茶色く変色しており、痣は確認できない。万造は、自分の下帯を床に叩きつけた。

「べらぼうめ。もう我慢できねえ。限界だ。いいから、その脇腹を洗って見せろってんだ」

　二人は湯に浸かった。

「そうか。その侍には、そんな曰くがあったのか」

「でも、島田さんが敵じゃねえとわかって安心しました」

「で、これからどうするつもりだ」

「敵は剣術道場にいるってんですから、島田さんに手伝ってもらえると助かります」

「手助けは惜しまないが……」

「なんだか、いつもの島田さんらしくねえなあ」

鉄斎は両手で湯をすくい、顔を洗った。

「万造さん、あんたたちは仇討を勘違いしているようだな。芝居とは違うんだ。その侍を見てわかるだろ。どっちに転んでも、だれも幸せにならないのが仇討だ」

「そりゃまあ……」

「しかも、手順が複雑だ。相手が見つかったら、仇討免状を持って、その土地の役人に届け出る。ここなら奉行所だな。相手が本当に敵かどうか江戸表や奉行所で確認する。そして許可を得て、晴れて仇討ができるんだ」

「しち面倒くせえもんですねえ。とっととやっちまえばいいのによ」

「その、清水という侍も相手の顔を知らないと言っていたな。相手は自分が敵だとは認めないかもしれない。確認できず相手を斬り、人違いだったら、単なる人殺しだ。それに仇討には助太刀が認められている。双方に助太刀が加われば、直接関係のない者同士も殺し合うことになる。仇討の勝負は、途中で謝るなんてことは許されない。相手に止めを刺さなければならないんだ。だから遊び半分で仇討に関わることはできん。万造さんたちが遊び半分と言っているわけではないが」

万造にも事の重大さは理解できたようだ。

「うーん。清水さんも不運な人だ。武士の宿命っていやあ、それまでだけどよ」

「とにかく、お得意の安請け合いをしてしまったんだろう。今さら手の平を返すわけにもいくまい。まず、その清水という侍を誠剣塾に連れていってみよう」

「島田さんの剣術道場ですか」

「ああ。うちの道場に敵と思われる人物はいないが、他の道場の情報を集めることはできるからな」

　万造は薄暗い湯屋の中で、鉄斎の目を見て尋ねた。

「もし、浅利って敵が見つかったときは……、島田さん、助太刀をしてもらうわけには……」

　万造は、途中で言葉を呑み込んだ。

　誠剣塾は三ツ目之橋の近く、林町にある。表門の近くまで来ると、竹刀がぶつかる音や、勢いのある気合いが聞こえてくる。鉄斎は、清水寿門を中へと案内した。

　黒板張りの道場正面には神棚があり、三組の若者たちが竹刀を交えている。

「どうです、清水さんも汗を流してみては」

「とても私などには……」

　これが仇討をする人物の実情なのだろう。敵を討てるほどの武芸もなく、ただ面目のために藩を追い出される。金も底を尽き、その日暮らしの放浪を続ける。おそらく清水の旅が終わるのは、浅利という敵を見つけ、返り討ちとなり死ぬときなのだろう。

道場の右奥にある座敷では、塾長の江波戸直介が、一人の門弟と向き合っている。座敷には張り詰めた空気が充満していた。

「塾長、私を推薦していただきたい。剣術で内田より劣るとは思えません。鳥羽藩からの条件は、武芸堪能で、傑出した人物の高弟一名と、お聞きしました」

江波戸直介は腕組みをしたまま、何も返答しない。

誠剣塾では、名誉であると同時に、由々しき事態が発生していた。島田鉄斎が師範代を務めるようになってから、門弟たちは腕を上げ、剣術道場の対抗戦では常に優勝を争う存在となった。

先日、鳥羽藩の江戸屋敷より、側用人付として誠剣塾の高弟一名を召し抱えたい、との話があった。年齢などの条件から、だれが考えても候補は、京谷信太郎と内田重計に絞られる。ともに二十四歳の浪人だ。

京谷信太郎は、父が仕えていた古川藩が取り潰しとなり、その後、父は死亡。母と二人で江戸に出てきての長屋暮らし。貧しい生活ではあるが、学問や剣術の修行に励み、仕官の機会を待ちわびる日々だ。

それは内田重計にしても同じことだった。佐倉藩士であった兄が問題を起こして失職。養子先がまとまる寸前で話は流れた。現在は誠剣塾の近くにある長屋で姉と暮らしている。

このような若者たちにとって、武士として召し抱えられる機会など、滅多にあるものではない。武士の家に生まれながら、明日の見えない浪々の生活を送り、貧困や屈辱に耐え続ける。形こそ異なるものの、清水寿門と同じ身の上なのである。

京谷信太郎と内田重計は、真の友と認め合い、切磋琢磨を続けた仲だ。道場の対抗戦では、この二人の活躍が欠かせないものだったし、門弟の結束も二人が核となっていた。酒を酌み交わし、肩を組んで歌い、ともに笑い、ともに泣く。鉄斎はそんな友がいる二人が羨ましかった。だが今、二人の歯車は狂いかけている。

塾長は、まだ何も答えない。京谷信太郎は座敷の外に座っている鉄斎に気づくと、にじり寄ってきた。

「島田先生からも塾長に推挙していただきたい。もし私が内田より劣るというのなら、その理由をお聞かせ願いたい」

鉄斎の後ろには清水寿門が控えている。京谷信太郎は、部外者がいる前で、そのような話をする男ではない。尋常な精神状態ではないのだ。

「島田先生、私は自らの立身のために申しているのではありません。母は武家としての京谷家の継承だけを夢見て生きているのです。母のためなのです。この機会を逃すわけにはいかぬのです」

　京谷信太郎の言葉に嘘はないと思う。だが、内田重計も同じ境遇にあるのだ。

「信太郎、私からは何も言えん。塾長も、信太郎だけの話を聞いて決めるわけにもいくまい。少し冷静になることだな」

　京谷信太郎は唇（くちびる）を噛み、拳（こぶし）を握りしめた。

　京谷信太郎が帰ってから、塾長の江波戸直介に清水寿門を紹介し、事の次第を話した。塾長は膝を正した。武士にとって仇討は、君父（くんぷ）に対する忠孝や、主従関係を尊（たっと）ぶ上で、武士道の手本として賞賛されており、ある意味では敬意を表するものだからだ。

「近くの剣術道場を探ってみようと思うのですが、これには塾長の許可が必要です」

「私の許可が必要とは……」

「浅利拓馬という敵が、どこかの剣術道場と深い関わりを持っていた場合――」

　寿門を横目で見ると、すっかり借りてきた猫のようになっている。

「いざ仇討となれば、浅利に助太刀が加わることも考えられます。助太刀をして名を揚げようと考える輩（やから）が出てきても不思議ではありません。失礼ながら、この清水殿は腕に覚えがなく、返り討ちに合うのは必定。しからば、私が清水殿の助太刀となるやもしれません。その結果がどうあれ、道場同士の抗争に発展する可能性もあります」

清水寿門は、鉄斎の方に向き直った。

「とんでもないことです。何の関係もない島田殿や道場の方々に、ご迷惑をおかけするわけにはいきません」

鉄斎は両手で寿門の言葉を止めた。

「まあまあ、清水さん。まだ敵が見つかったわけではありませんから。三年半もの時間を費やしてこられたのでしょう。ここで焦る必要はありません。急いては事を仕損ずるといいますからね。ところで――」

今度は、鉄斎が江波戸直介の方に向き直る。

「塾長、こちらも困ったことになりましたな」

「まったくだ。鳥羽藩も罪作りなことをしてくれるものだ。鉄さん、あの二人をどうみる」

鉄斎は、まるで清水寿門を無視するかのように語りだした。

「二人とも、まだ二十四歳という若さです。このような状況になるのも無理はないでしょう。信太郎だけではありません。内田重計も必死の思いです。姉がいるそうですが、仕官に支度金が必要なら、身を売ってでも金を作ると申したそうです。武家の娘として天晴な覚悟です。信太郎が母を思うように、重計もそんな姉のことを考えれば、引くことはできないでしょう」

江波戸直介は、ただ唸るばかりだった。

鉄斎と寿門は、大きな商家が軒を連ねる竪川沿いの道を両国に向かって歩いた。荷を運ぶ者、店の前を掃除する丁稚、客を送る番頭……。町は活気に溢れている。

「島田殿、商人にとって一番大切なものとは何でしょうか」

「金でしょう。だが、その金を作るのは信用です。ですから金よりは信用の方が大切なのかもしれません。金は落としても、また稼げますが、一度失った信用を取り戻すのは難しいですから」

「商人にとって一番大切なのは信用ですか……。武士にとっては、それが面目ってことになるんですかね」

鉄斎は、その質問には答えなかった。

「人の運命とは摩訶不思議なものですね。どこに生まれてくるかで、まったく異なる人生を歩まなければならない。武士の世界だってそうじゃありませんか。私や清水さんのように家禄も高くない武士の家に生まれれば、出世するなどまず無理です。だからといって、生まれる家を選ぶことはできない。その人の人生を歩むしかないのです。商人が信用を作るのと、武士が面目を守るのと、どちらが辛く苦しいことなのか、私にはわかりませんがね」

「やはり、与えられた運命を歩むしかありませんか」

「運命を変えることはできませんが、人生を変えることはできるはずです。自分が決断して行動する結果こそが運命なのですから」

二ツ目之橋を渡ると、おけら長屋はすぐそこだ。遠くに見える路地の角では、万造と松吉が言い争っている。

「またやっている。よく飽きないな」

「あの長屋の人たちにとって、一番大切なものとは何でしょうか」

「それは……、絆です」

寿門は心の中で、その言葉を反芻しているようだった。

「弱い者たちは、人とつながっていなければ生きていけませんから」

おけら長屋では「清水寿門仇討」の一件が尾ヒレをつけて広まっている。

大家の徳兵衛からは「大願成就」と記された角樽が届き、八五郎からは神田明神の御札、久蔵からはタスキに鉢巻、おかみさん連中からは料理の差し入れ、隠居の与兵衛からは金一封と、まるでお祭り騒ぎだ。裏に住む戯作者は、すでに芝居を書きはじめたらしい。庶民にとって仇討とは現実的なものではなく、娯楽的な要素が大きいのだ。

「申し訳ねえ、清水さん。つい調子に乗って喋(しゃべ)っちまった」

万造と松吉は、鉄斎と寿門の前で小さくなる。

「松吉の野郎が、あちこちで言いふらしやがって」

「おめえが、島田さんから聞いた湯屋での話を、おれにしねえからだろ。仇討ってえのが、そんなてえへんなもんとは知らなかったからよ」

「なんだ、今日の喧嘩はそれが原因か。まあいい。せっかくの酒と料理だ。馳走になろうではないか」

松吉の家で四人は膳を囲んだ。

「で、どうでした。浅利拓馬は」

左手に猪口(ちょこ)を持ったまま、右手の箸で料理を口に運ぶ万造が尋ねた。

「意地汚ねえ食い方をするな。だれも取りゃしねえよ。それで、浅利拓馬は」

「うむ。誠剣塾の門下生たちに心当たりはないようだ。明日からも、本所深川界隈(かいわい)の道場を回ってみるつもりだが、浅利という男が道場に来たのが三年半前だとすると、ずっとそこに留(とど)まっている可能性は低いかもしれんな」

「もう本所深川には、いねえってことですか」

「とにかく、剣術道場をひとつひとつ調べることだ。すでに浅利はいなくなっていたとしても、消息はつかめるかもしれない」

清水寿門は黙って話を聞いている。松吉は両手を胸にあてた。

「なんだか動悸がしてきましたよ。敵ってもんは見つけなきゃならねえんでしょうが、見つかったら見つかったで、とんでもねえことになるんですよね。清水さんには申し訳ねえが、見つからねえ方がいいような気がしてきた。なあ」

万造も相槌を打つ。

「全ては、清水さん本人が決めることだ」

清水寿門は、覇気のない表情で酒を呑んでいる。

「浅利拓馬を見つけたら立ち合います。ただそれだけのことです」

とても仇討を決意している男の口調ではない。

「たとえ殺されてもですか」

「はい」

清水寿門は力なく答えた。

翌日、島田鉄斎と清水寿門は、小名木川の近くまで足を伸ばしていた。もう少し南に下れば海が眺められる場所だ。近くの剣術道場でも浅利拓馬の情報を得ることはできなかった。大横川に沿って北に歩いていると、前方から血相を変えて走ってくる若者がいる。誠剣塾の門下生だ。

「島田先生、大変なことになりました。亀戸にある荒れ寺の境内で、京谷さんと内田さんが真剣で立ち合うそうです」

「塾長はどうした」

「今日は道場主の寄り合いがあり、四谷まで出かけております」

「まずいな。すぐに案内してくれ。清水さん、あんたも来るんだ」

亀戸にある永念寺は、住職の死後、寺を引き継ぐ者がなく、一年ほど前から荒れ寺になっている。境内は近所の子供の遊び場になっているようで雑草も少ない。その境内に噂を聞きつけた近所の町人が集まりだしていた。

京谷信太郎と内田重計は、揃いの道着にタスキ、鉢巻姿で左手には真剣を握り締めていた。お互いに視線を合わせようとはせず、屈伸をしたり、肩を回すなどして身体をほぐしている。そして計ったように視線を合わせると、小さく頷き、見物人に向かって一礼した。

「私は誠剣塾の門下生、京谷信太郎と申す」

「同じく、内田重計と申す」

騒ついていた境内が静まり返った。

「一同の方々にお願い申し上げる。我々は故あって、真剣にて立ち合うことと相成った」

京谷信太郎の言葉に続いて、内田重計が――。

「この果し合いは遺恨ではない。武士の定めである。よって勝負の結果に一切の不平不満はなく、遺恨も残さぬ。立会人が不在のため、一同の方々に、我々二人が承知納得の上で立ち合ったことの証人になっていただきたい」

野次馬はいつの間にか、百人を超えていた。二人はその野次馬に一礼すると、左右に分かれて対峙した。永念寺に着いた鉄斎たちは、息を切らしながら人波をかき分け、最前列に出る。

京谷信太郎と内田重計は、蹲踞して刀を正眼に構えた。その光景を冷静に眺めている鉄斎に、清水寿門が詰め寄った。

「どうして止めないのですか。島田さんなら止めることができるでしょう」

「なぜですか。いきさつは違うが、清水さんもあの二人と同じことをしようとしているのですよ」

「しかし、あのような若くて将来有望な二人が斬り合うとは。しかも真の友なのでしょう。馬鹿げています。止めてください」

「あの二人にも斬り合わねばならぬ理由があるのだ。清水さんと同じようにね。その苦しさは、あなたが一番おわかりのはずだ」

京谷信太郎と内田重計は、自分から仕掛けようとはしない。同門で手の内は知り尽くしている二人だ。おいそれと手は出せないのだろう。息を呑むような緊迫感の中、京谷信太郎が少しずつ間合い(まあい)を詰めていく。あと二尺(しゃく)ほどで切先(きっさき)が触れる位置まで近づいた。そのとき「イヤー」という気合いとともに、京谷信太郎が刀を振り下ろし、内田重計は、それを左にかわす。そしてまた二人は元の間合いに戻った。お互いに顔からは血の気(け)が引いている。次に刀が動いたときには、絶命しているかもしれないのだ。

清水寿門は、同じ場所で浅利拓馬と向かい合う自分を想像してみた。返り討ちに遭(あ)うのは仕方ないとしても、武士として恥ずかしくない立ち合いができるのだろうか。震(ふる)えて、腰を抜かし、泡を吹き、醜態(しゅうたい)をさらすのではないのか。それに比べて、この二人は見事だ。まさに若武者だ。あの物言い。正々堂々とした振る舞い。とても自分には真似できない。しかし、だからといって斬り合ってよいのか……。

寿門の手が震えだした。そして走りだす。二人の間に向かって――。

「やめろ、やめてくれ。何が武士だ。何が面目だ。何が仕官だ。そんなものより大切なものがあるだろう。お願いだから、やめてくれ」

清水寿門は両手を広げて、二人の間に立ちはだかった。その優しそうな目からは涙が溢れている。

「どこのだれかは存ぜぬが、貴殿には関わりのないこと。お引き取り願おう」

「いや、引かぬ。どうしても立ち合いたいのなら、まずは拙者を斬ってからにしてくれ」

京谷信太郎は男の顔に見覚えがあった。

「貴殿は確か道場で……。とにかく、これは我々の定め。そこをどいていただきたい」

「いや、どかぬ。死んでもどかぬ」

清水寿門は両手を広げたまま、その場に座り込み号泣した。

「そこまでだ」

「し、島田先生」

鉄斎は清水寿門の肩を優しく叩いた。

「信太郎、重計。師範への道は、まだまだ遠いな」

二人は言葉の意味がわからない。

「お前たち二人とも、相手に斬られるつもりで来たな。構えた剣にまったく気迫が感じられなかったぞ。それは相手を斬るという気持ちがないからだ。しかも相手が自分と同じ考えだということに気づいていない」

京谷信太郎と内田重計は愕然とした。図星だったのだろう。

「未熟だな。相手の切先を見て、それに気づかぬとは。なぜ気づかなかったのか、わかるか」

「わかりません」

「教えてください」

鉄斎は、少し勿体をつけてから——。

「鏡を見ていたからだ。お前たちの目には自分の姿が映っていたのだ。お前たちは心から認め合った友だからな」

京谷信太郎と内田重計は、ほぼ同時に刀を落とした。信太郎は重計に歩み寄り、胸を拳で突いた。

「馬鹿野郎。貴様がおれを斬れば、すべてが丸く収まったんだ」

重計も拳を返す。

「ふざけるな。貴様を斬れるわけがないだろう」

「おれは恥じた。塾長や島田先生に、自分を推挙してほしいと申し出たことをな。最低の男だ。武士にあるまじき行いだ。この恥を抱えて生きていくことはできない。ならば貴様に斬られようと思ったのだ。貴様に斬られるのなら思い残すことはない」

「おれも同じだ、信太郎。島田先生に、姉を女郎にするわけにはいかない、自分を推挙してほしいと懇願（こんがん）した。姉を使うなどとは武士の道に外れている。それから考えたことは貴様と同じだ」

「重計、貴様が鳥羽藩に行け」

「おれは絶対に行かぬ。貴様こそ行け」

二人はまた拳を突き合った。

「とんだ茶番の果し合いだったな」

「まったくだ」

京谷信太郎と内田重計の目に涙はなかった。清々（すがすが）しい気持ちのほうが勝（まさ）ったのだろう。鉄斎は、そんな二人を温かい眼差（まなざ）しで眺めた。

「この清水さんに感謝しなければならないぞ。死ぬ覚悟で、お前たちの命を守ったのだからな」

京谷信太郎と内田重計は、清水寿門を両脇から抱え起こした。

島田鉄斎は、清水寿門を居酒屋へ誘った。

「さて、明日からも浅利拓馬を捜しますか。仇討免状が出ているからには、相手が見つかれば斬り合いをしなければなりませんぞ」

清水寿門は何も答えなかったが、その表情は穏やかだ。鉄斎は続けた。

「あのとき……、ご自分が叫んだ言葉を覚えていますか」

「あのときとは」

「京谷信太郎と内田重計の間に飛び込んだときに、清水さんが叫んだ言葉です」

寿門は黙っていた。

「『そんなものより大切なものがあるだろう』だったと思いますが」

「咄嗟のことでしたので、よく覚えておりません」

「ほう。咄嗟に出た言葉なら、それが清水さんの本心なのでしょう。あなたは確かにこう言った。『何が武士だ。何が面目だ。何が仕官だ。そんなものより大切なものがあるだろう』と。教えていただきたい。その大切なものとは何ですか。あなたには、その答えがわかっているはずだ」

寿門は目を閉じている。

「それは『空』だと思います」

「ほう。禅問答のようですな。『空』とは、いかなるものでしょう」

「空即是色という意味が少しみえてきました。『空』であることによって、はじめて万物が成り立つ。天上界からこの世を眺めれば、仕官も、仇討も、面目も、すべては『空』。つまり意味のないことなのです。大切なことは、現実からではなく、天から眺めて、自分の身に起こることを悟ることだと思います」

清水寿門は静かに目を開いた。

「新しい心が生まれたようですな。面目や意地、見栄を捨て、自然のままに生きていく。素晴らしいことではありませんか」

寿門は箸を置いた。

「武士を辞めます。それからのことは天童に帰って相談します。まあ、下級武士の家など守るほどのものではありませんから」

「その判断こそが、清水さんの運命だと思います」

「江戸で、おけら長屋のみなさんにお会いできて本当によかった。温かくて、酔狂で……。あの長屋で暮らせたら楽しいでしょうなあ」

「私も同じ理由で住みついてしまいました。そうだ、ご一家で江戸に出てこられてはいかがかな。おっと、今は、おけら長屋に空き家はなかったか……」

悪事千里を走るというが、その逆もある。京谷信太郎と内田重計が、お互いに斬られる覚悟で立ち合った事件は、野次馬が発信源となり、美談として広がっていった。おけら長屋の裏に住む戯作者は「仇討物語」を放り出して『若侍情話事始末』なる戯曲を書きだした。そして、この話は鳥羽藩主の耳に届くことになる。

「そのような若者であれば、二人揃って召し抱えたい」

そのひと言で、京谷信太郎と内田重計は鳥羽藩の藩士となった。生きていればこそである。運がよかったのではない。自分たちで引き寄せた、京谷信太郎と内田重計の運命なのだ。

清水寿門が天童へと旅立つ日、寿門、鉄斎、万造、松吉の四人は、本所松倉町にある蕎麦屋にいた。寿門を見送りがてら、四人で蕎麦を食べようと鉄斎が言い出したのだ。

「島田さんお薦めの蕎麦とは楽しみだ。なあ、松ちゃん」

「おうよ。でも別れに蕎麦なんざ、なんとも粋じゃねえか。細く長くってんで、縁起がいいや」

清水寿門はあらたまって——。

「本当にお世話になり申した。清水寿門、生涯この恩は忘れませぬ」

一文無しでは天童まで帰ることはできない。長屋の住人が少しずつ金を出し合ったが、雀の涙。それを聞いた京谷信太郎と内田重計も金集めに奔走してくれた。万造と松吉は一銭も出さなかったが、戯作者からネタの提供料を巻き上げるという離れ業で貢献した。

評判だという「とり蕎麦」は、鰹でとった汁の中に、よもぎを練り込んだ蕎麦、その上に鶏肉と葱をのせたものだ。

「腰があってうめえ。江戸っ子好みの蕎麦だ」

「ポキシコってやつでえ」

清水寿門はひと口、蕎麦をたぐると自分に言い聞かせるように言った。

「蕎麦がいいなあ……」

その呟きに、万造が尋ねる。

「なんですか、そりゃ」

「天童にいたころは、よく蕎麦を打ちました。これが思いのほか好評でね。侍を辞めたら、蕎麦を打つなんてどうだろうか」

松吉が箸の動きを止める。

「そいつぁいいや。どう見たって清水さんは、敵を討つより、蕎麦を打つ方が似合ってらあ。ねえ、島田さんもそう思うでしょ」

「ああ。私もそう思う。食べてみたいな。清水さんの打つ蕎麦を」

「ええ。いつか必ず」

寿門の作る蕎麦はどんな味がするのだろう。

「それでは、拙者は参ります」

万造と松吉が動きかけるのを、寿門は制した。

「どうか、そのままで。見送られるのは辛いですから。厠にでも行くように消えさせてください。最後のわがままです」

清水寿門は静かに席を立つと、店を出ていった。

「行っちまいましたね」

「頼りねえけど、憎めねえ人だったな」

店主が茶を差し替えに来た。その店主が厨に消えると、鉄斎が――。

「言っておくが、大きな声は出さんでくれよ。この店の主人が、浅利拓馬だ」

「ええっ」

「大きな声を出すなと言ったろう」

愛想のないその男は、厨の中で淡々と仕事をこなしていた。寿門から聞いた人物像よりも弱々しく老けて見える。

「いつ見つけたんですか」

「清水さんと会った翌朝だ。剣術道場を調べたら、すぐにわかったよ。二年ほど前に蕎麦屋の後家と一緒になったそうだ。店の裏に地蔵尊を建て、毎朝、手を合わせている。浅利の犯した過ちは許されるものではない。だが、清水さんが、この男と斬り合うことに何の意味があるのだ。だから私は教えなかった。万松の二人にも謝らなければならないな」

「とんでもねえ。これでよかったんですよ。蕎麦屋に、手打ちにあったんじゃ洒落(しゃれ)になりませんからね。なあ、松ちゃん」

「でも、どうして、清水さんをこの蕎麦屋に連れてきたんですか」

「あの世で、清水寿門と浅利拓馬が出くわしたとき、水に流すきっかけになればいいと思ってな」

「それならしんぺえねえや。だって清水さんは、これを食って蕎麦を打つことを思いついたんですから」

何も知らぬ清水寿門は、晴れ渡る空の下を、北に向かって悠然(ゆうぜん)と歩んでいた。

本所おけら長屋　その四

くものす

「おまえさん、よしときなよ。博打なんてものは必ず胴元が儲かるようにできてんだよ」

「馬鹿言うねえ。ほれ見ろい。現に昨日、博打で勝った金が、こうしてここにあるじゃねえか。一か月汗水流して働いたって、これだけの銭はできゃしねえ。それがどうだ、たったのひと晩だ」

　おけら長屋に住む、たが屋の佐平は、女房のお咲と口論の真っ最中だ。たが屋とは樽や桶を作る際に、円形に組んだ木板の外側を竹で固定する職人。佐平は外回りをしたり、馴染みの場所に陣取って、桶の修理をする仕事を生業にしていた。

　佐平は一本気な職人気質の男だが「呑む、打つ、買う」の中では酒だけで、博打とは無縁であった。お咲と所帯を持って十五年、大きな波風も立てず月並みな生活を送ってきた。子宝には恵まれなかったが、おけら長屋の「オシドリ夫婦」といえば、佐平とお咲のことである。その佐平が、同じ長屋に住む米屋の万造や、酒屋の松吉の誘いに乗って鉄火場に足を踏み入れたのがいけなかった。最初は怖々と眺めているだけの佐平だったが、勧められるままに少額の金を張るようになる。

　鉄火場には張り詰めた空気が流れている。佐平はその緊張感が好きになった。博打は小梅町の、ある旗本屋敷の中間部屋で開かれていた。博打はご法度で捕まれば罰せられたが、旗本領となれば町奉行の手は届かない。胴元は地元の無頼漢たちで、中間部屋を借りる代償として、儲けの一部を旗本に納める。門構えが立派な武家たちも台所は火の車で、非合法ではあったが、その金は大切な資金源となっていた。

二、三度、万造たちと鉄火場に足を運んだが、大きな金の動きはなかった。遊び程度の額しか賭けていなかったし、鉄火場のしきたりを覚える方に神経を使ったからだ。賭場に慣れた佐平は、一人で出かけてみることにした。今までに経験したことのない高揚感がこみ上げてくる。これが博打の魔力なのか。

懐には畳の下に隠しておいたヘソクリの二朱金が入っている。佐平にとっては大金だ。佐平は一人で鉄火場に乗り込むにあたって、自分に言い聞かせていた。

「江戸っ子はあきらめが肝心だ。博打で負けた金に未練を持っちゃいけねえ。出目にも思いを残しちゃならねえ。おれは、それを承知して鉄火場に行くんだ」

旗本屋敷の裏手にある木戸を三回叩く。中から二回叩き返す音がして、今度は一回叩く。木戸が開くと、三下奴があたりを見回しながら佐平を招き入れた。

夜も更けて、この木戸を出るとき、佐平の懐には一両を超える金があった。元金の八倍以上だ。冷静になれというのも無理な話だ。

お咲は裁縫の手を止めて、肩の力を抜いた。

「なにが汗水流してだよ。うちが流してんのは質草だけだよ」

「そうだろ。だから博打で金を作ろうってんじゃねえか。おれは昨日ほど悔しかった日はねえ。なぜって、今まで、なんで博打を知らなかったんだろうってよ。この調子でいけば一年後には御殿暮らしだ。そしたら、おれは軽石の代わりに小判でかかと擦っちまうね」

「まったく、万造さんたちにも困ったもんだよ。根が単純だから、のめり込むと右と左の区別もつかなくなっちまう」

「冗談言うねえ。そんなわけねえだろ……って、いけねえ、いけねえ。こんなことで冷静さを失うようじゃ、真の博打打ちにはなれねえ」

「しょうがないねえ、すっかり博打打ちにかぶれちまってさ。おまえさんね、博打なんてもんははじめてやる人には、そこそこ勝たせるんだよ。その後に負けがこんでも『もう少しやれば、あのときみたいに勝てる』なんて調子に乗せられて、結局は骨の髄までしゃぶられるんだよ」

「ふん、しゃぶられるって、おれは金太郎飴じゃねえや。聞いたふうなことを抜かしやがって、そんな説教は骨までしゃぶられてからにしろってんだ。それじゃ行ってくるぜ。賽の目がおれを呼んでる」

「ちょいと、おまえさん、待っとくれよ。……しょうがないね、行っちまったよ」

夕暮れの風に吹かれながら、佐平は考える。勝てば文句は言われない。女なんてそんなものだ。あの震えるような緊張感は女には理解できないだろう。しかし昨夜は驚いた。たったひと晩でこれだけの銭ができるなんざ、馬鹿馬鹿しくって、たが屋なんざやってられねえってんだ。暑い日も、寒い日も道端に店を広げて、見ようによっちゃ乞食と同じだ。重い材料を担いで、こしらえた桶には、出来が悪いの、仕上げがなってねえだのとケチつけられて、文句があるなら、てめえで作れってんだ。そこへいくと博打はいいじゃねえか。上も下も侍も職人もねえ。金さえ賭ければ、あとは勝つか負けるかだ。実に公平だ。

大川の東側を北に向かって歩き、吾妻橋の脇から源森橋を渡り、右に曲がると目的の屋敷が見えてくる。裏手に回ると勝手口の先に小さな木戸がある。

鉄火場は二十畳ほどの広さで、部屋の隅には両替場所がある。奥には三畳の次の間があり、半纏を羽織った二人の厳つい男が火鉢を挟むようにして、囁き合っていた。盆で騒ぎがあれば、すぐに飛び出してくるのだろう。先客は十人。商人や職人といった堅気の人ばかりで気楽に遊べる鉄火場だ。

佐平は両替場所の前にしゃがみ込む。

「おう、にいさん、これだけ回してくんな」

賭場の若い者は、一両小判を見て、細い目を見開いた。

「こ、これだけって。客人、いきなりこんなに替えちまうんですかい」

「あたぼうよ。こちとら江戸っ子でえ。いちいち細けえ銭を替えてられるかってんだ。それともコマが持ち切れねえってか。心配いらねえぜ。風呂敷持ってきてるからよ」

「いや、そんなにはありませんけどね。しかし風呂敷持参とは、まるで泥棒だね」

「なに、泥棒だと。いいねえ。おれは泥棒だよ。今日ここにある金、みんな持って帰るつもりだからよ」

この賭場では五分のテラ銭を引かれてコマが渡される。佐平は盆席に隙間を見つけて入り込むと、しばらくは成行きを見物する。右手に陣取る職人風の男の前にはコマが積まれていた。かなり勝ち越しているのだろう。左手には、お店の手代だ。正座をした膝の上で小刻みに指を動かす。負けこんでいるのが手に取るように伝わってくる。お店の金に手をつけなきゃいいが……。「場を読め」とは万造の教えだ。玄人気取りの調子者だが、これはあたっていると思う。人生にも風向きはあるが、博打などはなおさらだろう。その風は、気ままに流れているものなのか、自らがつかみ取るものなのか、佐平にはわからない。わからないのならば、とりあえずは右手の職人に乗ってみるのが常道だ。

賽は振られた。

「さあ、どちらさんも、どちらさんも……」

右手の職人は木札十枚を横にして出す。「丁（ちょう）」だ。佐平も同じく木札を十枚、横にして前に出した。考えることは、みな同じだ。あちこちから「丁」という声がかかる。

「半かたないか、半かたないか……」

賭場の若い者は盛んに「半」を張らせようとする。丁半博打は「丁」と「半」の賭けコマが均等にならなければ成立しない。胴元はテラ銭で食っているからだ。釣り合いがとれない場合は、勝っている者がコマを下げることになっている。それでもダメなときには不成立となる。

「半」に張る者は少なく、賭場には白（しら）けた雰囲気が漂（ただよ）った。壺振（つぼふ）りの若い者は何人かの客を選んだ。

「そちらさんと、そちらさん。それから、そちらさん。今回はコマを引いていただきたいのですが……」

そのとき、次の間から着流しの上に半纏を羽織った男が出てきた。胴元のようだ。

「客人に無粋（ぶすい）な真似（まね）をするんじゃねえ。申し訳ございません。私のほうで『半』を受けさせていただきます。よろしいですか」

胴元は場のコマを確認すると、若い者にコマを用意させ、縦にして置いた。

「丁半揃いました」

壺が開けられる。

「グニの半」

この勝負を境に賭場の風は変わり、右手の職人の勘は狂いだした。こうなったからには、佐平も自力で決断するしかない。しかし、勘に任せて張ったコマは減る一方だ。昨夜は四回に三回の確率であたったが、今夜はその逆。一両のコマは立ちどころになくなった。

「あー、さっぱりした。江戸っ子っていうのは、あきらめが肝心なんでえ。ことわっておくが、今、おれの目から出てるのは涙じゃねえぞ。あんまり小便を我慢してたんで、目から出てきやがった。あばよ、また来るぜ」

ほど近い居酒屋の暖簾をくぐる佐平。猪口に注いだ酒を一気にあおった。

「ふー、冗談じゃねえぜ、まったく。しかしまあ、負けるときは、あっという間だ」

手酌で酒を注ぎながら、自然と言葉が出てくる。

「結局は、お咲の言う通りかもしれねえな。いや、そんなことはねえ。昨日勝って、今日負けてるんだ。順番からいきゃ、明日は勝てるってこった」

「お前さん、博打をなめちゃいけないよ」

ふと見ると、いつの間にか小柄な老人が対座している。結った白髪は乱れ、髭は伸び放題で、歯は下から一本生えているだけ。どす黒く陽に焼けた顔はシミとシワだらけだ。汚れた着物は糸がほつれ、縄を帯の代わりにしている。足元を見ると、左右で違う雪駄をつっかけていた。だが眼光は鋭く、生き死にの修羅場を、何度もくぐり抜けてきたような凄みが感じられる。

「だ、だれだ、あんたは。驚くじゃねえか」

老人は佐平の言葉を風のようにかわし、裏声で笑った。

「へっへっへ……。そう、とんがりなさんな。昨日でやめときゃ、女房に着物のひとつも買ってやれたのに、残念だったな」

「なんだと。ちょっと待った。なんだってそんなことを知ってるんでえ」

老人は額を叩いて大袈裟に驚いた。

「おやおや、おれの顔も覚えていねえほど熱くなってたんじゃ、勝てるはずがねえや」

「あっ、どこかで見た面だと思ったら、賭場でおれの斜め前に座ってた爺さんだな」

「思い出したかい。まだ一分の望みはあるな」

確か、昨夜も賭場のどこかにいたような気がする。どの客がツイているか気にしていたつもりだが、はっきりとは思い出せない。空気のように存在感のない人物なのだろう。

「なんだか知らねえけど、ほっといてくんなよ。おれは自分の銭で博打を打ってるんだ。人様にとやかく言われる筋合いはねえ。あれっぱかしの銭、博打ですったって、おれは何とも思っちゃいねえんだよ」

佐平は威勢のよい啖呵を切ったが、老人の目は見れなかった。

「そいつぁ、嘘だな。お前さんはあきらめがわるい男なんだよ。半にしときゃよかった、丁にしておけばよかったって、心の中じゃ、いつまでもウジウジと後悔してるのさ」

「言いやがったな。こちとら江戸っ子でえ。江戸っ子っていうのはなあ……」

「わかった。わかったよ。まあ、そうとんがらず、おれにも一杯注ぎなよ」

老人は懐から湯呑み茶碗を取りだした。

「なるほどねえ。人の話に入り込んできて、酒をゴチになろうって魂胆かい。シケた爺さんだねえ。茶碗だけは用意してきてらあ」

「いつ役立つとも限らねえから、持ち歩いてるのよ」

「けーっ、これじゃ物乞（ものご）いと同じだぜ」

老人の視線は佐平をとらえ、声は太く低くなった。

「注ぎなって言ってるんだよ」

佐平は、この老人に土俵際（どひょうぎわ）まで追い込まれていくような気がした。

「なんでえ、そんな怖い顔しなくたって、酒くらい恵んでやらあ。それにしても汚ねえ茶碗だな」

欠けた茶碗の縁（へり）に口をつけると、酒が妖術のように吸い上げられていく。

「おうおう、そんなに呑みやがって、すぐになくなっちまうじゃねえか」

「なくなったら頼みなよ」

「だれが」

「お前さんに決まってるだろ。ほら、遠慮せずに、お前さんも呑みな」

「お前さんもって、こりゃおれの酒だろ。まったく、とんでもねえ爺さんだぜ」

「そう毛嫌いすんな。いいから呑みなよ」

「言われなくたって呑むよ。おれの酒なんだから」

老人は酒をあおる佐平を、まるで自分の子供のように眺めている。

「ところで……」

しばらくの間（ま）があってから老人が――。

「お前さん、博打ってもんは、なんの種も仕掛けもなく、ただサイコロを振ってると信じているわけじゃないだろうな」

「種も仕掛けもって。あんなもん、こうやって、パッパッとサイコロ振って、それだけじゃねえか」

溜息をついた老人はまた額を叩いた。癖なのだろう。

「単純だな。まるでお前さんは、蜘蛛の巣にくっつく虫みてえなもんだ」

「なんだと～、おれが虫と同じだって抜かしやがるのか」

「同じとは言ってねえ」

「そうだろ」

「飛べるだけ虫の方がマシだ」

「黙って聞いてりゃ、人の酒を勝手に呑みやがった上に、さんざっぱら馬鹿にしやがって」

温和な表情をする老人に対して余計に腹が立つ。

「ほら、そうやってすぐに熱くなる。博打なんてもんは熱くなったやつの負けだ。ここでお前さんと知り合ったのも何かの縁だ。おもしれえ話をしてやろうか」

勿体ぶった言い方が気にかかる。佐平は老人が話しだすのを待った。

「その前に……」

「なんでぇ」

「酒を頼みなよ。あと肴もだ。メザシがいいな」

肩を落とした佐平は、大声で酒とメザシを注文する。

「聞こうじゃねえか。そのおもしれえ話とやらを……」

老人は空になった徳利から、手のひらに酒の雫を垂らすとそれを舐めた。

「お前さん、職人のようだが、何をしている」

「たが屋だ」

「ほう、おれにもすぐにできる仕事か」

「冗談言うねえ。一人前になるには十年はかかるって手職だ。ここがなきゃ務まらねえんだよ」

佐平は自分の腕を力強く叩いた。

「そうだろうな。板を組んで水が漏れねえようにするのは至難の業だ」

「わかってるじゃねえか」

酒が運ばれてきた。老人は茶碗を出して催促する。

「ウワバミみてえな爺さんだぜ。そのおもしれえ話と、おれの仕事とどんな関わりがあるんでえ」

茶碗から酒が吸い上がる。

「それじゃ、賭場の壺振りはどうだ。お前さんが十年かかって一人前になったように、壺振りだって何年も修業してるんだ。サイコロを振るだけなら、だれにでもできらあ。壺振りは、なんのために修業してるんだろうな。やつらのこれは何だ」

今度は老人が自分の腕を叩いた。

「それは……、思った賽の目を出す……」

「それだよ」

「そ、それじゃ、イカサマじゃねえか」

「イカサマじゃねえ。胴元はテラ銭で食ってるんだ。今日みてえにコマが偏ったときにゃ受けることもあるがな。お前さんも覚えてるだろ」

釣り合いを取るために胴元が「半」に張って——、そして「半」が出た。右にいた職人はそれから博打の神様に見放された。

「胴元は五分のテラ銭が食扶持だ。金が動けば動くほど、懐に入る金も増えるってこった。だから客に勝たせたり、負けさせたりして大いに遊んでもらうのさ。お前さんたちは蜘蛛の巣にかかった虫だ。知らねえ間に生き血を吸われてるってことだ」

冷静に考えれば、この老人の言う通りなのだろう。

「まあ、お前さんたちみてえにチンケな虫は心配ねえが、あぶねえのが黄金虫や蝶だ」

「なんでえ、そりゃ」

「博徒なんぞと気取っていても、所詮はヤクザだ。やつらには客の素性が知れてるのさ。大店の主からはいくらでも金を引っ張り出せる。番頭や手代だって、ちょいと脅かしゃ店の金に手をつけちまう。これが黄金虫だ」

「蝶っていうのは……」

「年頃の娘がいる野郎だよ。金は持ってなくても、娘を吉原や岡場所に叩き飛ばしゃ二十両にはなる。やつらに狙われたら最後、口八丁手八丁でコマを回されて、気づいたときにゃ借金の山で首が回らなくなってるって寸法よ。客の中に身内の者を紛れ込ませて勝負させることもあるしな」

　博打で身上を潰した話はよく聞く。貧乏人からは細く長くテラ銭をかすめ取り、黄金虫や蝶からは身ぐるみを剝ぐ。それが博打の世界なのだろう。金もなきゃ、娘もいない自分は幸せなのかもしれない。もっとも、お咲じゃ岡場所からノシをつけて返されるだろうが。ここで、佐平はあることに気づいた。

「あんた、さっき、壺振りは思った賽の目を出せると言ったな」

「ああ」

「コマを張るのは、サイコロを振ってからだぜ。どうやって黄金虫から金を巻き上げるんでえ」

「よし、大切なことを教えてやろう」

佐平は身を乗り出した。

「メザシがまだこねえ」

佐平は前へつんのめった。

「なんだよ、そりゃ。おーい、はやくメザシをくれ。それと酒もだ」

「一流の壺振りは、客がどっちに張るかわかるんだとよ」

「嘘つきやがれ」

「本当だ。どっちに張るかだけじゃねえ。人の心を読むのが壺振りの腕の見せどころだ。今日の利蔵(としぞう)っていう壺振り、あれは一流だ。大勢が丁に張って場が流れるかもしれねえと読んで、半の目を出しておいたのさ。結果はどうなった」

「胴元が半で受けて……」

「偶然じゃねえんだ。偶然のように見せかけて稼ぐのが玄人なんだよ」

佐平はメザシの頭を齧(かじ)り、酒を流し込んだ。

「つーことはよ、どっちにしろ、こっちに勝ち目はねえってことかよ」

「そうだよ。だから博打はやめろってこった」

老人は薄笑いをした。その笑い方が気に入らない。佐平を見下(みくだ)し、子供扱いしているように思えてならなかった。

「爺さん、あんた、なんか隠してるな。いや、絶対に隠してる。なあ、教えてくれよ。あんた、博打に勝つ方法を知ってるんじゃねえのか。なあ、頼むよ」

老人は、しばらく考え込んでいる。

「仕方ねえ。誰にも言わねえと誓えるか。約束は破らねえと誓えるか」

「誓うよ。天に誓いますよ」

老人は声を細めた。

「いいかい、落ち着いて聞きなよ……。酒がねえ」

「またそれかよ。おーい、酒をくれ。面倒くせえから二本だ」

気の短い佐平は必死に気を静めようとしている。

「まあ、落ち着きなよ。壺振りは思った賽の目を出せると言っただろ。だから今度は、お前さんが、振った賽の目を読むのよ」

佐平は大きく息を吐きだした。身体がひと回り小さくなったようだ。

「聞いて損した。そんなこと、できるわけねえだろ。この酒は、もう呑まねえでくれよな。おれのだからよ。ああ馬鹿馬鹿しい」

「まあ、最後まで聞きなよ。壺振りだって人間だ。必ず癖ってもんがある。丁を出すときに、右の眉が動くやつ、小鼻が開くやつ。半を出すときに下唇を噛むやつ。小さな動きだが、必ず何かがある。そいつを見抜くのよ」

老人が茶碗を差し出すと、操られているかのように酒を注ぐ佐平。

「お前さんは、賽の目ばかりが気になって、そんな余裕はねえだろ。ところでな、さっき、お前さんがやられた利蔵っていう壺振りは、半を出すときに左手の小指が少し曲がるのよ」

「こ、小指が曲がる……。おい、そりゃ本当かよ」

「ああ、本当だよ」

両手で膝を打った佐平の顔は悔しさで歪んだ。

「畜生、それを知ってりゃ、今ごろは風呂敷いっぱいの銭だったのによ」

老人は持っていた茶碗を佐平の眉間に投げつけた。

「い、いてえ。なにをしやがる」

「調子に乗るんじゃねえ、このサンピンが」

佐平の眉間にあたった茶碗は、撥ね返って、再び老人の手の中に収まった。痛さよりも、この老人に対する底知れぬ恐ろしさの方が勝っている。佐平の背筋が震えた。

「お前さんみてえのをサンピン奴っていうんでえ。卑しいってこった。向こうだって、お前さん一人を相手にしてるわけじゃねえ。五回に三回の割で勝っていきゃ目立たねえだろ。それを五回、十回と続けて勝ってみな。向こうだって『何かがあるにちげえねえ』と考える。バレちまったら元も子もねえ。だから目立たねえように少しずつ勝っていくのよ。わかったな」

「わかった。決めごとは守るよ」

「ほかの壺振りにゃどんな癖があるかは、お前さんの目でじっくり探すんだな。全神経を集中させてよ。そうすりゃ、きっと見つけられると思うがな」

「よし、わかった。やってみるぜ」

「しつこいようだが、決めごとは守りなよ。決して調子に乗るんじゃねえ。それを破るとお前さん、自分の蒔(ま)いた種で大怪我(おおけが)することになるぜ」

「心配いらねえよ。天に誓うと言ったたろ」

「そうかい。すっかりご馳走(ちそう)になっちまったな。まあ、せいぜい地道に頑張りなよ」

　老人は、茶碗酒を呑み干すと、風のように出ていく。

　一人になった佐平は両手で顔を擦った。あの老人との時間は現実だったのか。なんだか夢のような気もする。茶碗をぶつけられた眉間を触ると、確かに痛い。また佐平の独り言がはじまった。

「へっ、あの爺さん、酒ほしさに与太(よた)を飛ばしやがったんだ。落ち着いて考えてみりゃ、そんなわけがねえ。ありゃ神様が、おれに引き会わせてくれたのかもしれねえな。博打はやめろってことだろ。桑原桑原」

その夜、床に入っても佐平は妙な興奮を覚え、眠ることができなかった。

「あれは本当に与太話だったのか。だとしたら、あの臨場感はなんだ。それに、あの爺さん。どう見ても只者じゃねえ。眼光、迫力、奥深さ……。何かの域に達した男だ。悩んでいても仕方ねえ。答えを知るにゃあ、試してみるしかねえだろ」

「どうしたんですかい、客人。かぶりつきが空いてますぜ」

佐平は、壺振りがよく見える場所を選んで腰を下ろした。

「いや、ちょっと頭が痛くってよ。昨日の酒がまだ残ってやがる。ここで少しばかり休ませてもらうぜ」

壺振りは利蔵ではなかった。佐平は老人に言われた通り、壺振りに全神経を集中させた。目、耳、鼻、口。指や腕の動き、角度。声に口調。そして息遣い……。細かい癖など簡単に見つけられるものではないが、佐平の集中力は途切れなかった。あの老人の話を信じたかったのだ。佐平は、まだ痛みが残る眉間に触れた。そのとき——。

「眉間のシワだよ。あの野郎の眉間のシワだ。二本になるときと、三本になるときがある。二本だ……、丁。三本だ……、半。二本だ……、丁。三本、半。二本、丁。間違いねえ。まさか、あの爺さん、そこまで見通しておれの眉間に……。いや、これは単なる偶然だ。そんなはずはねえ。それじゃ、やってみるぜ」

佐平の読みはあたった。言われた通り、五回に三回の割を守り、地道にコマを増やしていく。だが佐平は、ここであることに気づいた。楽しくないのだ。あの張り裂けそうな緊張感も、地団駄を踏みたくなるような悔しさも味わうことができない。博打の醍醐味は金を儲けることではないのだ。博打によって生じる喜怒哀楽にこそあったのだ。別の言い方をすれば、それが博打の恐ろしさだ。

少しの金を増やして、佐平は早々に引き揚げることにした。コマを金に替えるとき、若い者に老人のことを尋ねてみた。

「ああ、そういえば今日は見えねえな。二、三日前、突然やってきて……。さあ、はじめて見る顔なんで、どこのだれだかわからねえです」

ひょっとすると、あの爺さんは本当に救いの神だったのかもしれない。このまま博打を続けていたら、自分の人生はどうなっていたかわからない。現に出目を知ることができるという、博打打ち最大の夢が叶ってしまった今、博打への興味は半減している。

源森橋の左手に小さな木立があり、佐平がその脇を通りかかると、木の下で影が動いた。目が暗闇(くらやみ)に慣れてくると、男が枝に縄をかけているのがわかる。

「おっ、首吊(つ)りか。いいねえ。人間あきらめが肝心だ。滅多に見られるもんじゃねえから、ちょいと見物させてもらうぜ」

男は佐平の言葉に反応せず、縄を引っ張り、枝の強さを確認している。

「洒落(しゃれ)だよ、洒落。女に逃げられて首でもくくろうってえのかい。それとも借金か。よしな、よしな。命あっての物種(ものだね)ってえだろ。金は天下の回り物、星の数ほど女はいらあ」

男は背を向けたままだ。

「あなたには関係のないことです。ほっといてください」

「当たりめえだ。ほっとくよ。てめえが生きようが死のうが、こっちには関係ねえや。だけどよ、おれがここを通りかかって、その横で首をくくられたんじゃ目覚めが悪いや。今日のところは、ひとつお流れってことにして、明日またやってくんな。それじゃな」

男は大きな石の上に乗って、縄を首にかけようとする。

「おうおう、おれの頼みが聞けねえのか。おめえが木にぶら下がってるのを背にして歩いてけえるなんざ、心持ちがよくねえ。こっちにまで禍(わざわい)がついてきそうだ。なっ、今日のところはお流れにしようぜ。一晩頭を冷やせば考えだって変わるかもしれねえだろ」

男は俯(うつむ)いたまま振り返った。

「それなら、早く行ってください。あなたが見えなくなってから、首をくりますから。さあ、早く行ってください」

佐平は左手に持っていた提灯(ちょうちん)を男の顔の側まで持ち上げた。

「おっ、あんた、さっき賭場で見かけたね。そうそう、何度か見た顔だ」

「ば、博打なんかに手を出すんじゃなかった……」

もしかしたら、これが少しばかり先の自分の姿なのかもしれない。佐平は他人事(ひとごと)とは思えなくなってきた。昨夜、老人と呑んだ居酒屋は目と鼻の先だ。その場に踏ん張る男を引きずるようにして居酒屋に押し込んだ。

「どうも、昨日からひょんな形で博打つながりの野郎に出くわすね。なんでえ、そんなにやられたのか。とりあえず、酒でも呑んで話してみなよ。話によっちゃ止めやしねえ。それどころか足を引っ張ってやらあ」

男は浅草の阿部川町(あべかわちょう)で小間物(こまもの)屋を営む伊三郎(いさぶろう)と名乗った。たったこれだけを聞き出すのに半刻(はんとき)（一時間）もかかるのだから始末が悪い。無理矢理に酒を呑ませると、途切れ途切れに話すようになってくる。酒の力は偉大だ。

「はじめのうちは勝ったんです……」

「当たりめえだろ。はじめてやる野郎には、そこそこ勝たせるんだよ。そんでもって、その後に負けがこんでも『もう少しやれば、あのときみたいに勝てる』なんぞと調子に乗せられて、結局は骨の髄までしゃぶられるんでえ」

「おっしゃる通りでございます」

「馬鹿に素直だねえ。確か、おれはここで『金太郎飴じゃねえ』なんて言い返したような……、そんなことはどうでもいいや。これだけは言っておく」

佐平はここで言葉を切って、酒を口に運んだ。

「まるで、お前さんは蜘蛛の巣にくっつく虫みてえなもんだ」

「虫といいますと……」

「飛べるだけ虫の方がマシだ」

「よくわかりませんが、奥の深い話なのでしょうな……」

「おおさ。深すぎて一度落ちたら、もう出てはこれねえ」

佐平は虫の話をきっかけに、老人が口にした黄金虫と蝶のことを思い出した。チンケで貧乏な虫からは長い時間をかけて生き血を吸い続ける。この伊三郎という男はどっちだ。

「で、あんた、いくらやられたんだ」

「五十両……」

「かー、またやられやがったなあ。で、その金はだれから借りたんだよ」

「賭場の胴元です」

あのとき「半」で勝負を受けたのが胴元だ。佐平の脳裏には、その顔が浮かんだ。

「五十両か。時間はかかるかもしれねえが、真面目に働いて返しゃ、返せねえ金じゃねえだろ」

「そんな大金はございません」

ということは、伊三郎は黄金虫ではない。蝶ということになる。

「あんた、年頃の娘さんがいるだろ」

伊三郎は突然、卓に伏して号泣する。

「お光……お光、すまねえ。おとっつぁんは、とんでもないことをしちまった」

嗚咽で聞きづらい物語をつなげるとこうなる。

三か月ほど前、はじめての博打で大勝ちした伊三郎は、案の定その味が忘れられなくなり、三日にあげず賭場に通うようになった。勝つと、次は負けるの繰り返し。ところが不思議なもので、勝ったことは記憶に残るが、負けたことはすぐに忘れてしまう。負けてもすぐに取り返せると思うので、軽々しく博打を打つようになってしまうのだ。

賭場に通いつめて寝不足になるから、当然のごとく商売には身が入らない。女房からは小言を言われ夫婦喧嘩が絶えなくなり、ムシャクシャするから、また賭場に通う悪循環がはじまった。

その日の夕刻、口論になり、はじめて女房に手を上げてしまった。娘のお光は目に涙をいっぱいに溜めて女房をかばった。自分は最低の亭主だ。最低の父親だ。それはわかっている。わかっているが、もう自分を抑えることができなくなっていた。何もかも忘れることができるのは博打を打っているときだけだ。苛立っていた伊三郎は、たんまりとコマを替える。連中が、そんな伊三郎の心の乱れを見逃すわけがない。

丁半博打は半分の確率なのに、まったくあたらない。頭に血が上って肩が震える。

「博打ってえのは流れでさあ。ダメな後は必ずよくなる。お馴染みさんですからコマをお回しいたしやしょうか」

そうだ。ダメな後は必ずよくなるんだ。今までだってそうだった。最初に借りたのが一両。その一両を返すために、また一両。合わせて二両を返すために、今度は二両。結局その日だけで十両もの借金を作ってしまった。証文に爪印を押すときになって、やっと事の重大さが理解できた。思えば、あそこでやめておくべきだった。十両なら、なんとか都合がつく金額だ。だが、伊三郎は冷静な判断ができる状態ではなかった。ツキが回ってくれば、すぐに返せる。博打で負けた金は博打で取り戻す。伊三郎はコマを回してもらう度に、爪印を押し続けた。証文の内容も確かめずに。

十日ほど前、胴元が伊三郎を次の間に呼び出した。

「ところで伊三郎さん、これどうしますか」

胴元は証文を伊三郎の鼻先でなびかせた。

「合わせて五十両。期限は、あと十日ですよ」

「そんなはずはない。私が借りたのは、確か三十両だったはずです」

胴元は優しい笑顔を見せる。

「おやおや、この前、証文を一枚にまとめたでしょう。そのときに、ちゃんと確かめなかったんですかい。それにね、借金には利子ってもんがつくのをご存じですかね」

「そりゃそうかもしれないが、いくらなんでも五十両になるなんて。私を騙したんですか」

微笑みを絶やさないのは、胴元の意地の悪さだろう。

「人聞きの悪いことを言わねえでくださいよ。ほら、内容は証文にも書いてあるでしょう。伊三郎さんの名前も爪印も、ちゃんとありますよ。最後に、こんなことも書いてあります。『期日までに返済できないときには、娘の光を小梅一家にお渡しいたします』ってね。うちとしちゃ、娘さんでもいいんですよ。伊三郎さんの娘さんは、阿部川町でも器量良しって評判だそうですね。吉原じゃ引く手数多だ。まして生娘ってことになれば、鼻の下を伸ばした大名や旗本がひと晩で二十両も出すってことですから」

話を聞いた佐平は天井を仰いだ。

「それが明日だってえのか」

伊三郎はうなだれているだけだ。

「その、お光って娘さんは、いくつになるんでえ」

「十六です」

自分にも同じ年頃の娘がいてもおかしくない。

「娘さんは、このことを知ってるのかい」

「こんなこと、言えるはずがない。私は娘に合わせる顔がありません。だから死ぬんです」

「馬鹿野郎」

佐平の大声に、伊三郎の背筋が伸びた。

「てめえが死んで、娘はどうなる。娘を守れるのは、てめえしかいねえんだぞ。まだ時間があるじゃねえか。考えろ。娘を救う手立てを考えろ」

「考えましたよ。でも明日までに五十両だなんて……」

もちろん佐平にもそんな金はない。自分が金を作れるとしたら、爺さんから教わった方法しかない。だが元手が二朱しかないのに、それもひと晩でだ。それに爺さんとの約束もある。悩んでたって仕方がない。当たって砕けろだ。

「おう、ついてきな」

「ついてきなって、どこへ」

「二人で押し込み強盗でえ」

「そんな……、強盗だなんて……」

「洒落の通じねえ野郎だねえ。押し入る先は小梅町の鉄火場でえ」

夜も更け、賭場は佳境（かきょう）を迎えているようだった。佐平は伊三郎を従えて次の間に入っていく。胴元は吹かしていた煙管（キセル）を口から離すと、雁首（がんくび）で煙草盆（たばこぼん）をポンと叩いた。

「これはこれは、伊三郎さんじゃありませんか。おや、お二人が知り合いだったとは存じませんでしたな。五十両が用立てられたんですか。そりゃ結構なことだ」

佐平は胴元の前にどっかりと胡坐をかいて、腕組みをした。

「じつは、その件で話があって来た」

「ほー、そいつはご苦労なことで。お聞きいたしやしょう」

成行きまかせの行動にしては落ち着きはらっている佐平がいた。

「おれと、五十両の一回勝負をしてもらいてえ。もし、おれが勝ったら、この伊三郎さんの証文をもらう。つまり、伊三郎さんの借金はチャラにしてくれ」

驚いたのは伊三郎だ。

「ちょっと佐平さん、あんた、何を言い出すんだ」

「うるせえ。てめえは引っ込んでろい。おれは、ここの胴元さんと話してるんでえ」

胴元は二人のやりとりを見てポカンとしていたが、少しの間をおくと腹を抱えて笑いだした。

「おう、何がおかしい」

「あははは……。いや、これは失礼、失礼。ちょいと度肝を抜かれましてね。五十両の一回勝負とは、たいした度胸だ。あははは……」

「どうなんでえ。受けるのか、受けねえのか、はっきりしろい」

「こっちも盆を生業にしてる博打打ちです。素人さんに挑まれて逃げるわけにはいかねえでしょう」

「よし、話は決まった」

まだ笑いが止まらない胴元は、手を前に出し、佐平の勢いを抑えるかのように言った。

「ところで、佐平さんとやら、賭け金の五十両はお持ちなんでしょうねえ」

佐平は言葉を失った。

「一回勝負で、賭け金がないって、そりゃ虫がよすぎやしませんか。こっちはその場で証文を返すんですから、お互い五分でやりましょうや」

「確かに五十両はねえ。いま懐にあるのは二朱金だけでえ。もし負けたら……、おれの命をくれてやらあ。それでどうでえ」

やっと収まった笑いが再び起こる胴元。

「あはは、冗談言っちゃいけませんぜ、佐平さん。あなた、本所のおけら長屋に住む、たが屋さんですよね」

「なんで、おれのこと知ってるんでえ」

「うちの客人には職人も多いですからねえ。それくらいの調べはついてるんですよ。あなたの命には二朱金の値打ちもありません。命をもらったって、大川に捨てる手間がかかるだけです。五十両がないのなら帰っていただきましょう」

「頼む。一度っきりだ」

畳に頭を擦りつける佐平の半纏の裾(すそ)を、伊三郎が引っ張る。

「佐平さん、もういいです。もう充分です」

「ほら、伊三郎さんも、ああ言ってますぜ。あなたも他人のことに関わらない方が、身のためだと思いますよ。さあ、お引き取りください。伊三郎さん、明日の朝にお伺(うかが)いさせてもらいますよ」

佐平は畳に頭を擦りつけたままだ。その後頭部に衝撃が走った。

「いてえ。なにをしやがる」

驚いて起き上がると、紺地の巾着袋が畳に落ちる。中に入っているのは間違いなく小判だ。佐平が振り返ると――。

「じ、爺さんじゃねえか」

あの老人が、あご髭を指先で上下に摩(さす)っている。

「五十両は、おれが貸してやろう。だが負けたら、お前さんの命はもらうよ。いいな」

「上等でえ。こんな命のひとつやふたつ、いつでもくれてやらあ」

面喰らったのは胴元だ。ハナから五十両はないと読んで、余裕を見せていたが、こうなると話が違う。

「おう、五十両はできたぜ。受けてもらおうじゃねえか」

「ちょ、ちょっと待ってくれ」

賭場は満席だ。その客たちの耳に響くような大声で佐平は啖呵を切った。

「おうおう、素人さんに挑まれて逃げるわけにはいかねえとか、ほざきやがったな。さあ、どうする、どうする」

面子を重んじる博徒の世界。胴元も腹を決め、立ち上がった。

「客人方、お楽しみのところ申し訳ございません。これより滅多に見られない余興をご覧にいれます。こちらの客人が」

ここで佐平のことを紹介して――。

「私を相手に、五十両の一回勝負をしたいとおっしゃるので、お受けすることにいたしました」

あちこちから「そりゃ見ものだ」「こいつぁおもしれえ」などの声が上がる。

「つきましては、ちょいと盆を、お空けくださるよう、お願い申し上げます」

客たちは壁際に下がり、見物する態勢を整える。

胴元と佐平は真っ白い盆を挟んで対峙した。老人は胴元の後ろに座り、髭を触り続けている。胴元は何種類かの壺とサイコロを出した。

「気に入ったのを選んでください。五十両の大勝負だ。後でイチャモンがつくのもよくありません。まあ、ここにいる客人たちが判断してくれることですがね」

佐平が気になっているのは、当然のことながら壺振りだ。どうやって誘導するか思案していたが、これでやりやすくなった。

「どれでもかまわねえ。ただ……」

「ただ、なんですか」

「壺を振るのは、あの人にしてもらいてえ」

佐平は利蔵を指さした。

「利蔵ですか。いいでしょう。利蔵、おめえに任せる。汚名返上しな」

利蔵は、サラシと半タコ姿になり、壺の前に正座する。賭場の空気が止まった。全ての視線が壺と賽に集まる中、伊三郎だけが手を合わせて目を閉じている。利蔵の両手が壺と賽に伸びた。

「ちょっと待ったあ」

佐平の大声に全員がビクリとする。

「て、てめえの、そ、その、左手の小指はどうしたんでえ」

利蔵の左手の小指がない。根元には白い布が巻かれている。

「いきなり、びっくりするじゃありませんか。この野郎……、利蔵といいますが、兄貴分の女に手を出しちまいましてね。落とし前ってことで指を詰めさせました」

「そ、そんな……、たかだか女に手を出したくれえで、かわいそうじゃねえか。すぐに指を返してやれ、指を」

「なにを興奮してるのか知りませんが、渡世稼業のことですから、堅気さんには関わりのないことです」

「困るんだよ、その人の小指がねえと……」

優しい言葉をかけてもらったと勘違いした利蔵が泣きだした。続いて佐平も泣きだした。

「あなたが泣くことはないでしょう。まあ、そこまで他人さんに、お気遣いの言葉をいただきまして、利蔵も喜んでいると思います。それでは五十両一回勝負、はじめさせていただきます」

利蔵が手に持った壺と賽を上げ、賽を壺に放り込むと白い布の上にピタリと置いた。賭場の緊張は沸点に達した。

「そちらさんから、どうぞ」

佐平の頭の中は真っ白になっている。老人の話が本当だとすると、利蔵は人の心を読んで賽を振っている。小指がなくなった今、こっちに勝ち目はない。だが所詮は丁と半。確率は五分だ。

老人の姿が目に入った。老人は空間を見つめながら、まだ髭を触っている。さっきはあご髭を上下に擦っていたが、今は鼻の下の髭を左右に擦っている。上下と左右……。縦と横……。コマの置き方は、横が丁で、縦が半。そ、そうか。

「丁、丁だ」

その瞬間、利蔵の顔が青ざめた。丁を出してしまったのだろう。だが、横に座っている胴元は、それに気づいていない。

「半」

「丁半、出揃いました。勝負……」

満座の視線が集中する。壺にかけた利蔵の手は震えている。

「サンピンの丁。丁と出ました」

一同から歓声や、溜息が聞こえる。伊三郎は、まだ固まったままだ。

「伊三郎さん、勝ったぜ」

その言葉に、伊三郎はようやく目を開いた。意外にも胴元は晴れやかな顔で、次の間から証文を持ってくると、佐平に渡した。博徒の意地だろう。佐平は、それを乱暴に引きちぎる。

「こ、これで借金はなくなるんですね。お光も売られなくて済むんですよね」

「ああ、もう心配ねえ。これだけ大勢の証人がいるんでえ。心配いらねえよ」

「ご恩は一生忘れません。これに懲りて、もう金輪際、博打には手を出しませんから」

「ああ。おれもだ。これじゃ、いくつ命があっても足りねえや」

　気がつくと、老人がいない。佐平は外に飛び出した。冷たい夜風も感じないほどに気持ちが昂ぶっている。目をこらすと、老人が両脚をひきずるようにして歩いていく。

「おーい、爺さん。まだ五十両、返してねえだろ」

　老人は軽く額を叩いた。

「いらねえよ。お前さんにくれてやらあ」

「くれてやらあって、五十両もの大金だぜ」

「あはは、中身は鉄の板っ切れだよ」

「な、なんだって……。知らぬが仏とはこのことでえ。まったく肝の据わった爺さんだぜ。それより……、あ、ありがとうよ。五十両だけじゃねえ。博打でも助けられた」

「さあ、知らねえな」

「とぼけるなよ。髭を触って教えてくれたんだろ」

「さあ、なんのことだか……」

「おれは、今日を限りに博打はやめる。だから冥土の土産に教えてくれよ。どうして丁だとわかったんだ」

「その答えは、教えたはずだぜ」

「えっ……」

「お前さんが、サンピンだからよ」

佐平は闇に消えていく老人を、無言で見送るしかなかった。

本所おけら長屋　その五

おかぼれ

おけら長屋は本所亀沢町にある。

日本橋方面から両国橋を渡り、元町から回向院の前を抜けて、一ツ目通りを左に曲がった路地裏にこぢんまりと建っている。江戸一番の繁華街である両国から歩いてすぐのところで、近年は旗本屋敷も増えたが、通りをひとつ入れば雰囲気は変貌する。風も抜けない長屋があちこちに点在しているからだ。表通りには商家も多く、この地区は武家と商人と職人が入り混じって生活していることになる。

大家の徳兵衛は地主ではない。おけら長屋の地主は、富岡八幡宮の門前山本町で名高い料理屋、仲膳の店主、文志郎である。徳兵衛は長屋の管理や、住人の人別帳などを任されているだけで、店賃の取り立てに身が入らないのもそのせいだ。

おけら長屋という名の由来は、だれも知らない。以前に万造が大家に尋ねたことがあるが、「地主の文志郎の顔がオケラに似ているからだよ」と答え、松吉が尋ねたときには「無一文の店子ばかりだから」と答えた。つまり大家も知らないということだ。まあ、近くの長屋だって「なめくじ長屋」だの「夜逃げ長屋」だの「食い詰め長屋」だのと呼ばれているので、卑下することはない。

江戸の本所地区は貧富の差が激しい町でもあった。泰平の世の中が続く江戸では、商人たちが勢力を伸ばし、武家の生活は困窮していく。下級武士の中には切米を担保にして商家から借金する者も多く、士農工商とはいえ、立場は逆転していた。

同じ貧乏でも気楽なのは長屋の連中だ。おけら長屋に住む連中の室内を覗いてみても家財などはほとんどない。台所以外では、布団に行灯、お膳くらいのもの。着物なんて着たきりだから箪笥なんて必要ない。四畳半では置き場所もないのだから仕方ないが、これには別の理由もあった。江戸は火事の町。長屋は粗末な木造の上に、せまい路地奥に密集している。どうせ火事になればすべて燃えてしまうのだから、家財などは持っていても意味がないのだ。おけら長屋の事情はこれくらいにして――。

おけら長屋に住む呉服問屋、近江屋の手代、久蔵は今年二十一歳になる。実家は寺島村の農家であったが、次男だったこともあり、十歳のとき近江屋に奉公に出された。十年に及ぶ丁稚の生活は辛いものだった。それは肉体的な疲労よりは精神的な苦痛の方が大きかった。十歳といえば、まだ子供。休みは年に二回の藪入りのみ。このときだけは丁稚も実家に帰ることが許されたが、懐郷に涙することもあった久蔵は、「里心がつく」と、五年間は実家に帰ることも許されなかった。

久蔵が故郷を恋しく思うのは、母に会いたかったからだ。母は酒乱の父に怯える兄弟の楯となり、海のように大きな愛情を注いでくれた。

奉公に出てから五年目の秋、母が危篤との連絡を受け、駆けつけたときには、すでに虫の息だった。母は久蔵が着くのを待つようにして死んだ。五年ぶりに再会した母は、すぐに冷たくなっていく。不思議なもので母が死んでから、故郷を思い涙することもなくなった。それ以来一度も寺島村には帰っていない。

久蔵は二十歳になると元服して手代となり、羽織と雪駄の着用が許された。丁稚は店に住むことが絶対条件であったが、手代になると、その店の事情によって長屋などに住むこともあった。近江屋は大店といえるほどの商家ではなかったので、丁稚が増えると手狭になる。そんなわけで久蔵は通い手代となった。食事は南本所石原町にある近江屋で済ませるので、おけら長屋には寝に帰るようなものだったが。店賃は近江屋持ちなので、気ままな一人暮らしは、何かと気を遣う住み込みと比べれば極楽だ。万造たちのおかげで酒の味も覚えた。だが久蔵には、おけら長屋が極楽と思える別の理由があった。それは隣に住む後家女のお染である。

お染は謎の多い女だった。歳のころは三十半ば。久蔵がおけら長屋に住む二か月ほど前に引っ越してきたらしい。大家の徳兵衛によると、昨年、亭主を亡くしたそうだが、ふっくらとした色白の器量良しで、愛嬌もあったが、笑顔のどこかに陰のある女だ。針仕事で生計を立てているようだが、詳しいことはわからない。万造たちは「ありゃ、訳ありの妾にちげえねえ」などと根も葉もない噂をしていたが、男の影はどこにもなかった。

「久蔵さん、いるかい。伊勢屋さんから、お饅頭をいただいたの。少しだけど、お食べなさいな」

「羽織の袖がほつれてるじゃないの。脱ぎなさいな。明日の朝までには縫っておいてあげるから」

　お染は隣に住む久蔵のことを何かと気にかけてくれた。久蔵はそんなとき、胸がときめいて、お染の顔をまともに見ることができない。その思いが何なのか――母を慕うような気持ちなのか、それともお染を一人の女としてとらえているのか――自分でもわからなかった。

　その日、久蔵は近江屋での仕事が長引き、おけら長屋に戻ったのは四つ（午後十時）を過ぎていた。長屋の入口にある稲荷の前を通ると、お染の家の前に人影が確認できる。久蔵は貧相な鳥居に隠れて様子をうかがった。小声で何やら囁き合う声が聞こえ、引き戸が開き、その人影はお染の家の中へと消えていった。男だ。

　久蔵の動悸は速まった。忍び足でお染の家の前を歩くと、音を立てぬように引き戸を開け、自宅に入った。暗闇の部屋は、すべてが止まっている。久蔵は自分の行動が何のためのものかわかっていた。壁を手で伝い、その「穴」へと向かった。おけら長屋の造りは粗末なものだ。隣家との間は薄い壁一枚。その壁に半寸ほどの穴があいていた。お染の部屋には何かが――おそらく額が――かけてあり、中を覗くことはできなかったが、耳をつければ音は筒抜けだ。久蔵は、よくこの穴に耳をあてた。ふしだらな気持ちではなかった。お染の独り言、くしゃみ、動く気配だけでも温もりを感じることができるのだ。

久蔵は息を殺して耳に神経を集中させた。お染にとって、よからぬことが起きるような予感がしたのだ。情事であれば、すぐにやめるつもりだ。

静けさの中に、色事ではない緊迫感が感じとれる。

「大きな声を出さないでおくれよ。こんなボロ長屋じゃ隣に筒抜けだから」

「わかってるさ。両隣とも留守だ。人の気配は感じねえ。こっちも、そのあたりについちゃ素人じゃねえからな」

お染の隣家は久蔵と、酒屋の松吉。どうせ松吉のことだから、どこかで呑んだくれているか、岡場所にでも居続けているのだろう。

「しかし、お峯さんよ、こんな長屋に身を隠しているとはねえ。おれはまた上方にでも逃げたのかと思ったぜ……」

「お頭は、このことを知っているのかい」

「まだだ」

「後生だよ、政さん。見逃しておくれよ。どんなことになろうと決して口を割ったりしないから」

「そりゃ、できねえ相談だ。お峯さんだって掟は知ってるじゃねえか。丑三つの風五郎っていうお頭は恐ろしいお人だ。背いた者はなぶり殺しにされる」

「だったら逃げたあたしも殺されるってことだね」

「お峯さんは心配いらねえ。なにしろお頭は、おめえさんの身体にぞっこんだからよ。今度はお峯さんが離れられなくなるほどに、可愛がってくださるだろうよ。ひっ、ひっ」

　政という男は品のない笑い方をした。久蔵は二人の会話を聞きながら、事の次第を組み立てようとしたが、この段階では無理だった。ただ、お染が崖っぷちまで追い詰められていることは間違いない。

「あたしはつくづく運のない女なんだねえ。まあ、久しぶりに会ったんだ。政さん、酒でもどうだい。こんな雰囲気じゃ話もできゃしないよ」

　お染の声質が少し低くなった。気持ちに変化があったのだろう。覚悟を決めたのか、それとも、この政という男を取り込むつもりなのか。徳利から酒が注がれる音が聞こえる。

「で、どうしてわかったんだい。あたしがここにいるって……」

「そいつぁ言えねえなあ。一度はお頭を裏切ったおまえさんに手の内は見せられねえ。とにかく、お頭からは逃げられねえってこった。まあ、心配することはねえ。

お頭は常々おっしゃってる。お峯を見つけたら無傷で連れてこいってな。それだけお峯さんが大切だってことだ」

しばらく静けさが続いた。

「あたしが逃げたときのことを覚えてるかい」

「ああ。あれは確か八か月ほど前、松幡橋近く、因幡町にある両替商加賀屋に押し入ったときだ。十八人を皆殺しにして、千三百両もの大金を頂いたっけ。因幡町といやあ、八丁堀の目と鼻の先だ。八丁堀の連中は地団駄踏んで悔しがったそうじゃねえか。こっちは笑いが止まらなかったぜ」

あらましはつかめた。お染の本当の名は「お峯」といい、「丑三つの風五郎」という凶悪な盗賊の情婦だった。何かの理由で風五郎から逃げたお染は、おけら長屋での生活をはじめた。そして風五郎の手下である「政」という男に発見されてしまった。

「あの翌日じゃねえか、お峯さんが姿を消したのは……」

「あの人は、お盗めが終わると、必ずその足で私を抱いた」

「人を殺した興奮が抑えられなかったんだろうよ」

「風五郎の身体から血の臭いがするんだよ。あの日は特にひどかった。あの人に抱かれてるとね、背中越しに殺された旦那やおかみさん、女中や奉公人の顔がはっきりと見えるんだよ。会ったこともない人たちなのにねえ。もうこんな生活には耐えられない。そう思って逃げたのに、またあの暮らしに逆戻りするのかねえ……」

　男は優しい声で笑った。お染を安心させるつもりなのだろう。

「それについちゃ心配ねえ。お頭は手下の者たちにこう言った。『お峯を見つけたら、もう怖い思いはさせねえから安心して戻ってこいと言え』ってな。よっぽどお峯さんに惚れているようだ。それによ、お頭のところにいれば綺麗な着物を着て、うめえ酒呑んで気楽に暮らせるんだ。こんな長屋暮らしよりよっぽどマシだと思うがねえ」

「それで、これからあたしはどうなるんだい。このまま連れていくのかい」

　久蔵は焦った。この場からお染を連れ出されたら手の打ちようがない。この、政という男を殺すか。自分のようなヤサ男には無理に決まっている。返り討ちに遭うのが関の山だろう。このまま何も聞かなかったことにするのが身のためだ。久蔵は自分の無力さに拳を握りしめた。

「ところが、そうもいかねえ。お頭は八か月前のお盗めの後、ほとぼりが冷めるまでと駿府におられるが、もうすぐ江戸に出てきなさる。おれたちはこっちの様子を調べたり、次のお盗めの地ならしをするため、ひと足先に江戸に集まってきたがな。だからお頭が江戸に入るまでは、お峯さんにもここでおとなしくしてもらうしかねえ。くれぐれも妙な気は起こさねえでくれよ。数日前から、お峯さんには見張りがついている。逃げることはできねえ。お頭も二度の裏切りは許さねえだろうし、それに……」

男はここでひと呼吸おいた。

「おれも殺される。だから、お峯さんも覚悟を決めてくれ。一度この稼業に足を踏み入れたら、前に進むしかねえのさ。どっちみち畳(たたみ)の上じゃ死ぬことはできねえんだ」

その言葉はお染にではなく、自分自身に語ったように思えた。

「十日後の同じ刻限に、また来る。回向院の勧進相撲(かんじんずもう)が初日を迎える日だから間違えることはねえだろ。それまでには、お頭とのつなぎも取れる。お峯さんも普通に暮らしていてくれ。お頭も今度の江戸入りについちゃ、ずいぶん慎重になっておられる。火盗改(かとうあらため)の目も光っているしな。どこから足がつくか、わかったもんじゃねえ。お峯さんだってお縄になりゃ、獄門台は免(まぬが)れねえんだ。くれぐれも振る舞いには気をつけてくんなよ」

政という男が出ていった後、お染の部屋からは、酒を注ぐ音だけが聞こえていた。あと十日の間に何とかしなくては。逆に考えれば、それだけ時間があるということだ。久蔵は眠れぬ夜を過ごした。

　翌朝、お染は大家の徳兵衛宅へと向かった。脇には針仕事の着物が入った風呂敷を抱え、お裾わけの菓子を手にしている。針仕事は徳兵衛からも紹介してもらっており、ごく日常の光景だ。

「おはようございます。中村さんの羽織が上がりました」

「おお、お染さんかい。ご苦労さん。藤井さんから浴衣を頼まれてるから、上がっておくれ。お茶でも淹れるから」

お染は座敷に入ると、うやうやしく正座をした。中村などという仕事は紹介されていない。大家はただならぬ気配を感じ、声を落とした。

「どうした、何かあったのかい」

「ええ。夕べ遅くに、風五郎の手下の政吉が訪ねてきました」

お茶を淹れていた大家の手が止まった。

「た、訪ねてきたって、お染さんのところへかい」

「ええ……」

「そうか……。あれから半年余りが過ぎたが、ついに来たか。これは悪いことじゃないんだよ。望んでいたことなんだ。そうか、来たのか……」

お染は昨夜の話を大家に報告した。生々しいところは除いてだが。

「つまり、今わかっていることは、丑三つの風五郎は駿府にいて、もうすぐ江戸に出てくる。そして九日後に、政吉という手下がお染さんのところにやってくる、ということだね」

温かいお茶が腹に浸みわたる。他人（ひと）に打ち明けて、少しは楽になったようだ。

「ええ。ただ、どこまでが本当のことか……。風五郎は仲間にも居場所は明かしません。駿府なんていう場所は風五郎の口から出たことはありませんしね。近いうちに江戸に入ることは間違いないと思いますが。それより――」

お染は目を伏せた。

「大家さんや島田さんに迷惑がかかりゃしないかと、それが心配で昨夜も眠れませんでした。人を殺すことくらい何とも思っちゃいない連中です。あたしはどうなってもいいし、覚悟もできています。でも、おけら長屋のみなさんに何かあったら……」

着物の袖で目頭（めがしら）を押さえるお染の心に嘘（うそ）はなさそうだ。

「あんたも、おけら長屋の住人じゃないか。家族と同じだ。私と島田さんならともかく、万造や松吉なんてのは、殺しても死ぬようなやつらじゃない。辰次（たつじ）や金太（きんた）に至っては、そもそも生きている意味のない連中だ。店賃も払わないし、お染さんの身代わりに死んでもらいたいくらいだ。あははは。だから、お染さんが気に病（や）むことはないんだよ。ただし、見張られているとなると、軽々しく動けんな。何事も注意深くしなければ。とにかく、お染さんはいつも通りにしていなさい。私は折をみて島田さんに話し、根本様に報告してもらう。こちらにすれば根本様の指示を待つしかないのだから」

お染は頭を深く下げて、その気持ちを表した。

八か月ほど前、風五郎から逃げたお染は、三日ほど悩んだ末、火付盗賊改方の役宅に自首している。風五郎に見つかれば殺されるかもしれない。ならば自ら（みずか）お縄となり、知っているすべてを白状した上で獄門台に上がった方が成仏（じょうぶつ）できると考えたからだ。また、それが人の道だと思えた。

火付盗賊改方の筆頭与力（ひっとうよりき）、根本伝三郎（でんざぶろう）は、お染が悩んだ三日間を悔やんだ。すぐに手を打てば一網打尽（いちもうだじん）にすることができたかもしれない。だが、死んだ子の年を数えても仕方がない。

丑三つの風五郎を捕縛（ほばく）することは火盗改の悲願であった。風五郎一味は、丑三つどきに富豪の商家に押し入り、女や子供までも皆殺しにして金を強奪するという凶悪な盗賊で、犯行後には「丑三つ」の貼り紙を残す。江戸のみならず、尾張（おわり）や上方でも凶行を重ね、被害総額は、ざっと四千両。殺害された者は五十人にも及んでいた。今までの犯行は五回。一度のお盗めが終わると、しばらくは息をひそめて、まったく動かない。火盗改は風五郎に関する糸口さえつかめずにいた。

お染は風五郎の一味ではなかった。盗賊には「引き込み役」などで、女がお盗めに加わることもあったが、お染は純然たる風五郎の情婦だった。水茶屋の仲居（なかい）をしていたところを見初（みそ）められ、半ば強引に風五郎の女にさせられた。小さな家を与えられ、風五郎は不定期に現れると、お染を抱いた。ときにはお染の家が一味の宿、集合場所などになることもあった。お染は風五郎が凶悪な盗賊のお頭であることを察知していたが、どこをねぐらにしているのか、どれほどの仲間がいるのか、次はどこへ押し込むのかなど、まったく知らされていなかった。

お染は、火盗改の筆頭与力、根本伝三郎にすべてを打ち明け、いかような厳罰でも受けると申し出た。根本伝三郎は、お染を泳がすことにした。風五郎を知る者はお染しかいない。まして風五郎がお染に執心（しゅうしん）であったのなら、捕らえるための囮（おとり）になるやもしれぬ。どんなに周到な人物でも、ひとつくらいは隙（すき）を作る魔物を持っている。酒、家族、博打（ばくち）……。風五郎にとっては、それが女であるかもしれない。

囮にするのなら、お染を江戸に置く必要がある。風五郎を警戒させない、ごく自然な形で。根本は剣術道場の好敵手、島田鉄斎（てっさい）に極秘で相談した。島田鉄斎は浪々の身であったが、実直で信用できる男だった。

「私の住んでいる本所亀沢町のおけら長屋に、ひとつ部屋が空いている。そこに住まわせてはどうか。大家の徳兵衛さんには私から話をしよう。両国にも近いから、何かと人目にもつく。打ってつけの場所だと思うがな」

「大家には、すべて本当のことを話すつもりか」

「その方がよいだろう。なにか事が起こったときに、心得ていれば手早く対処できる。あの徳兵衛さんなら大丈夫だ」

　お染はその案を了承した。根本は首尾よく風五郎を捕らえることができた暁には、お染を無罪放免にすると約束してくれた。お盗めに加担していたわけではなく、考えてみればお染も被害者の一人だ。風五郎との接点が何もない火盗改にとって、お染の協力は欠かせない。

　お染は夜な夜な、惨殺された人たちの亡霊に悩まされていた。この人たちは、風五郎が処刑されれば、成仏できるかもしれない。自分がもっと早く決断していれば、殺されずに済んだ人がいるはずだ。お染はうなされて目を覚ますと、両手を合わせて念仏を唱え続けた。

　久蔵は、あの日から食事も喉を通らない。政という男が再び訪ねてくるのは八日後だ。それまでに、自分にできることは何か。奉行所や火盗改に申し出ることはできない。丑三つの風五郎という盗賊を捕らえることができても、それは同時にお染も捕らえられるということだ。二人の話からすると、お染も死罪になる可能性が高いらしい。お染を説得して二人で逃げるか。どこへ逃げるのだ。寺島村には自分の居場所さえない。この広い江戸の中からお染を見つけ出した連中だ。とても逃げきれまい。それに、お染は、まだ大人とはいえない自分のことなど相手にしないだろう。かといって、風五郎一味に一人で立ち向かうなどは夢物語だ。まさに八方塞(ふさ)がりだった。

近江屋の主人、益次郎(ますじろう)は、すぐに久蔵の異変に気づいた。

「どうした、久蔵。青い顔をして。目の下にはクマができてるじゃありませんか。お清(きよ)どんの話じゃ、昨日から御膳にも手をつけないそうだね」

「少し体調を崩しただけです。大丈夫ですから」

「無理はいけませんよ。今は店も手が足りているから、しばらく休みなさい。番頭さんには私から話しておきましょう」

益次郎の言葉はありがたかった。もちろん身体を休めることではなく、お染のために何かができるからだ。とにかく何かをしなければならない。久蔵は、お染と政の会話を辿(たど)ってみた。政の、ある台詞(せりふ)が引っ掛かった。

《見張りがついている。逃げることはできねえ》

政という男の話が本当だとすれば、お染は、だれかに、どこからか監視されていることになる。つまり、こちらもお染を遠くから見張っていれば、風五郎一味の見張り役を見つけることができるかもしれない。それが何につながるかは、やってみなければわからない。久蔵は、お染が外出する機会を待ち、後をつけてみることにした。危険も及ぶだろうが、怖くはない。そんなことを考えていると、玄関から声がかかる。お染だ。

「久蔵さん、いるかい。開けるよ」

お染は小さな鍋を手にしている。

「あら、寝てなくていいのかい。大家さんから具合が悪いって聞いたもんだから、お粥をこしらえたんだよ。少しでいいから、お食べなさいよ」

久蔵は言葉が出なかった。他人の心配をしている場合ではないはずだ。この優しい女が、凶悪な盗賊の情婦だったとは信じがたい。いや、信じたくなかった。それなのに久蔵は想像してしまう。お染はどんな姿で、どんな表情で風五郎に抱かれていたのだろう。久蔵は顔を左右に振って、その場面を遮断した。

「そんなに悪いのかい。熱はあるのかしらね」

お染は、履き物を乱暴に脱ぎ捨てると、座敷に上がり込んで、右手を久蔵の額にあてた。

「熱はないみたいだねえ。とにかく少しでも食べて、横におなりなさい」

久蔵の右手が動きかけた。その手を引き寄せて、お染を抱きしめたかったからだ。そしてこう言うのだ――。

「お染さん、何もかも捨てて、私と遠いところに逃げましょう」

しかし、久蔵の右手は止まったままだった。

「ご面倒をおかけして申し訳ありません」

「なに言ってんだよ。困ったときは、お互いさま。それが長屋の暮らしってもんさ。あたしはこれから小舟町に届け物があるんで、帰ったらまた様子を見にくるからね」

お染が出かけると聞いて、久蔵の背筋が伸びた。小舟町といえば両国橋を渡って、造作ない距離だ。少し離れて後をつけても見失うことはないはずだ。秘密の穴に耳をあて、様子をうかがう。お染が家を出て、裏路地を通り抜けたころを見計らって、久蔵は後を追った。脇には着物の入った風呂敷包みを抱える。どう見ても商家の手代そのものだ。通りに出ると、松坂町を歩くお染の姿が小さく確認できる。回向院の先を左に曲がれば、すぐに両国橋だ。あの男は――。

自分とお染の間を歩く、気になる男がいる。おけら長屋に住む浪人、島田鉄斎だ。鉄斎に気づかれると厄介なことになる。久蔵は慎重に歩いた。両国橋を渡ると左に折れ、久松町の方へと向かう。何かが変だ。鉄斎の動きが不自然なのだ。明らかに前方を歩くお染を意識しての歩き方だ。間違いない。お染を見張っているのだ。それが証拠に曲がり角では、一度立ち止まり、覗くようにしてお染を確認する。案の定、お染が小舟町の知人宅に入ると、鉄斎は物陰に隠れて様子をうかがっている。考えられることはひとつ。島田鉄斎は風五郎の一味なのだ。噂によると、鉄斎は武芸の達人らしい。盗賊には必要な人材だ。久蔵は、自分一人で解決できる問題ではないと悟り、その場から引き返した。

大川の畔に座り込み、久蔵は考えた。それにしても、おけら長屋に盗賊が住んでいるとは。様々な思いが浮かんでは消え、そのうち西の空は赤く染まりだした。お染は言った。

《困ったときは、お互いさま。それが長屋の暮らしってもんさ》

やはり、だれかに相談するしかない。大家の徳兵衛か、それとも相模屋の隠居か。だが、事の成行きによっては危険も伴う。二人の身に何かあったら、どう責任をとればいいのだ。

「おお、久ちゃんじゃねえか」

街角で出くわしたのは、おけら長屋に住む万造と松吉だ。危険な目に遭おうが、死のうが、だれからも心配されない二人だ。

「どうしたい、深刻な面（つら）しやがって。ははあ、女だな。吉原（よしわら）に馴染（なじ）みの女でもできやがったか」

「なに言ってんだよ、万ちゃん。久蔵は、まだ女を知らねえんだ。もっと清らかな初恋ってやつだ。で、相手はだれだ。海苔（のり）屋のババアか」

「よっ、乙（おつ）だねえ。あんなババアに惚れるなんざ。こないだ古希（こき）の祝いで腰を抜かしたそうじゃねえか。久ちゃんが抱いてやりゃ一発で治るってもんだ」

いつも通りの戯（たわ）け者たちだ。この二人なら、どんな目に遭おうが罪悪感はない。

「あの、ちょいと一杯やりませんか」

万造と松吉は顔を見合わせた。

「珍しいねえ。久ちゃんから酒の誘いがかかるとはよ。この前も二軒目の店で『もう帰してください』って泣いて頼んだじゃねえか」

「まったくだ。その久蔵からの誘いは断れねえな。よし、店から酒をくすねてくるからよ。万ちゃんは肴（さかな）を適当に見繕（みつくろ）っといてくれ。それじゃ、おれの家で……」

「松吉さんの家は困ります。万造さんの家にしてくれませんか。理由は後で話しますから」

「おかしなこと言いやがるな。まあいいや。それじゃ、酒を用意して万ちゃんのとこに集まろうぜ」

　久蔵は、この二人に打ち明けることにした。それは久蔵の勘だ。相手は玄人。この二人の行き当たりばったりな考えは効果があるかもしれない。

　久蔵は万造宅で、膝を突き合わせるようにして座り、お染の一件を話した。万造は茶碗酒を呑み干すと、大きく息を吐き出した。

「間違いねえんだろうな、その話は……」

「ええ、確かにこの耳で聞きましたから」

「どうするよ、松ちゃん」

「うーん、こりゃ大事だぜ。しかし、あのお染さんがねえ……。そんな極悪人の情婦だったとはなあ。しかも島田さんがその盗賊の仲間って、一体どうなってんだ、この長屋はよ」

「絶対に口外しないでくださいよ。あなたたちを信用して打ち明けたんですから」

「しんぺえするねえ。だけどよ、島田さんも一味ってことになると厄介だな」

　万造は祭礼前夜のような興奮を隠しきれない。

「よーし、こうなったからには、おれたちでお染さんを助けてやろうじゃねえか。ここで逃げたら江戸っ子の名折れだ」

　安請け合いが十八番である万造の反応は予想できたが、能天気な二人の性格を甘くみてはいけない。

「ことわっておきますが、遊びじゃないんですよ。難しいことが、いくつもあります。盗賊が捕らえられれば、お染さんもお縄になります。しかし、風五郎一味が獄門台に上がらない限り、お染さんは自由の身になれない。その上、島田さんが盗賊の仲間だとすれば、この長屋にも目が光っていることになります。こっちだって殺されるかもしれません」

しばらく考え込んでいた松吉だったが、膝を崩して胡坐（あぐら）をかき直した。

「もう一度、久蔵から聞いた話を復習（さら）ってみよう。お染さんと風五郎、それに政っていう男の関係はまちげえねえな。久蔵が、その耳で聞いてるわけだからよ」

久蔵と万造は頷（うなず）く。

「だが、島田さんが盗賊の一味だってえのは、久蔵の憶測で、本当かはわからねえ」

「絶対に間違いありませんよ。それなら、何のためにお染さんを見張ってたんですか」

「それじゃ聞くが、おめえは何でお染さんの後をつけたんだ。盗賊の一味でもねえのによ。島田さんだって別の理由があったのかもしれねえだろ。それに島田さんは、お染さんが越してくる二年も前からこの長屋に住んでる。つじつまが合わねえだろ。とにかく、はっきりしねえことは決めつけねえ方がいい」

酒は進んでいるが、酔うことはできない。万造がゆっくりとした口調で話しだした。

「つまりよ、風五郎っていう悪党が、お染さんのことを嫌いになればいいんだ。簡単なことじゃねえか」

「どうするんだ」

「かさっかきになったとかよ」

久蔵は二人の会話を止めた。

「馬鹿なことは言わないでくださいよ。そんな噂がたつくらいなら、風五郎の情婦になった方がマシでしょ。お染さんがかわいそうです」

万造が、いきなり久蔵の顔を指さした。

「て、てめえ、お染さんに惚れてるな」

「何を言い出すんですか」

「ほーら、赤くなりやがった。だいたい政とかいう男とお染さんの話を盗み聞きするなんざ、おかしいじゃねえか。でけえ声でする話じゃねえだろ。久蔵、てめえ、お染さんの部屋を覗いてたんじゃねえのか」

「違います。様子が変だから、壁に耳をあてて聞いたんです」

「嘘つきやがれ。恥ずかしがることじゃねえぞ。あんな年増に、おかっぽれするなんざ、乙な野郎だ。見直したぜ」

「だから、違うって言ってるでしょ」

「そ、それだ」

　松吉が大きな音をたてて膝を叩いた。

「久蔵、おめえ、お染さんに惚れろ」


　回向院で勧進相撲が初日を迎えた夜。大家の家には、島田鉄斎の他に、火盗改の同心、密偵など四人が詰めていた。それぞれに商人、職人、僧侶などに変装している。亥の刻に政吉がお染の家を訪れた後に尾行し、隠れ家を特定するためだ。運がよければ、そこに風五郎一味が集っているかもしれない。最終的な段取りを確認すると、彼らはそれぞれの持ち場に散っていった。大家宅に残ったのは、島田鉄斎と筆頭同心の山田浩史郎の二人である。

　亥の刻まで半刻（一時間）を切った。お染の家からは淡い行灯の灯が見えている。隣家の状況を確かめたところ、右隣の松吉は留守、左隣の久蔵は在宅している。このような場合、長屋の住人に理由を話し、隣家には同心などが待機することになるが、筆頭与力の根本伝三郎はお染の立場を考慮した。大家の徳兵衛と島田鉄斎は、首尾よく風五郎一味が捕縛されたなら、このままお染をこの長屋に住まわせてやりたいと考えていたからだ。内密に遂行しなければ、長屋の連中に、風五郎とお染の関係が知れてしまう。

　刻限が近づき、鉄斎は口の渇き（かわ）を覚えた。昨夜、根本伝三郎は言った。

「何かあったら、お染を守ってやってくれ。あんたの腕は火盗改の同心たちより確かだからな。考えてみりゃ、お染も犠牲者の一人だし、命を投げ出すつもりで名乗り出たんだ。あの女だけは守ってやりたい」

　もし今夜、政吉がお染を連れ出すようなことがあれば、鉄斎も尾行の同心に同行することになっていた。

　鉄斎は陸奥国津軽（つがる）にある黒石藩（くろいし）で剣術指南役（しなんやく）を務めていたとき、人を斬（き）ったことがある。何年たっても人を斬った感覚は消えるものではない。また自分は人を斬ることになるかもしれない。それだけは避けたい鉄斎だった。

　大家宅の引き戸の隙間から、お染の家を見張っている鉄斎の目は、だいぶ暗闇に慣れてきている。そのとき――。隣の家から出てきたのは久蔵だ。間（ま）の悪い男だ。政吉と出くわさなければよいが……。

「な、なんだと」

　鉄斎は心の中で叫んだ。久蔵がお染の家の戸を叩いて、何かを囁いている。引き戸が開くと、久蔵は半ば強引に中へと入っていった。

台所の土間に立った久蔵の表情は硬い。

「久蔵さん、どうしたんだい。こんな遅くに……」

「お染さん、実は、どうしても聞いてほしいことがあるんです」

お染は焦った。もう政吉が訪ねてくる刻限だ。一歩間違えば、久蔵にも危害が及ぶ。

「明日じゃダメなのかい」

「人目につきたくないものですから」

「困ったねえ。これから人が訪ねてくるんだよ」

「あの男ですか」

「久蔵さん、知ってるのかい」

お染は口を手で押さえた。

「やっぱりそうですか。十日ほど前の夜、男がお染さんの家から出ていくのを見ました。あの人は、お染さんのいい人なんですか。教えてください」

お染は混乱して、何と答えればいいのかわからなかった。

「あの夜、お染さんの家から男が出ていくのを見て、私は眠れなくなりました。胸が痛くなったからです。そのとき私は、やっと気づいたんです。私は、お染さんに惚れているんだと」

　お染は口を半開きにして呆然としている。

「私はお染さんを好いています。二十一歳の手代じゃ、お染さんに惚れてはいけませんか。この前の男が来ても平気です。私はあの男の前でも、お染さんに惚れていると言ってみせますから」

「き、久蔵さん、あんた酔ってるんだろう」

「酒なんか吞んじゃいません」

「そ、そうだ。あんたはまだ身体の具合が悪いんだよ。変な夢を見て寝ぼけてんだよ。そうに決まってる」


　路地を抜け、政吉はおけら長屋に着いた。少し離れてお染の家の様子をさぐると、行灯の灯の中に二つの人影が見え、かすかに話し声が聞こえる。誰かがふいに訪ねてくることだってある。どこかで時間を潰そうかと思案していると背後から――。

「ちょいと、すいませんね」

　息が止まるほどに驚いた政吉だが、そこは修羅場を踏んでいる経験で、ゆっくりと振り返った。気づかれぬよう、懐に入れた右手は短刀をつかんでいる。そこには二人の男が品のない薄笑いを浮かべて立っていた。心なしか酒臭い。

盗賊には俊敏な判断力が求められる。その判断力を信じて冷静に行動しなければならない。自分を捕らえに来た役人であれば、相手を油断させて逃げる。だが、この場合はすでに包囲されている可能性が高いので、逃げ切ることは難しい。捕らえられたら、その場で舌を嚙み切って自害する。拷問に遭えば仲間のことなどを白状してしまうこともあるからで、これは風五郎の手下の掟だ。同心が町人などに変装していても目を見ればわかる。この二人の目からは獲物を狙う鷹のような鋭さがまるで感じられない。この状況で逃げると、自分がやましい存在だと教えてしまうことになる。政吉は自然に接することにした。

「なんでございましょう」

政吉は笠と振り分け荷物を持ち、旅人のような出で立ちをしていた。

「あんた、お染さんの知り合いですかい」

万造の言葉を松吉が否定する。表情からすると、ほろ酔い気分のようだ。

「そんなわけねえだろ。こんな時分に訪ねてくるなんざ、これに決まってらあ」

松吉は、そう言いながら親指を立てた。

「そりゃそうだ。しかし、まずいときに来ましたねえ。まあ、あんたのせいじゃありませんけどね」

政吉は心の警戒を半分ほど解いた。

「いえ、私は、お、お染さんの遠縁の者でして。お染さんの伯母さんに、江戸に行ったら様子を見てきてほしいと頼まれましてね。すっかり遅くなってしまいましたが。そんな色っぽい間柄じゃございません」

政吉は思わず「お峯」と口走りそうになり、肝を潰した。

「そうですかい。そいつあよかった。あっしの家はこのすぐ前でね、ちょいと一杯付き合っちゃもらえませんかね。簡単な話で、すぐに終わりますから」

政吉は、万造と松吉に挟まれるようにして、万造の家に引き込まれてしまった。

錯乱したのは、島田鉄斎と火盗改の同心たちだ。今日の目的は、なんとしても政吉の隠れ家を特定することだ。それには政吉が帰るところを尾行するしかない。とにかく政吉の背後には風五郎がいる。ただし、政吉がお染に危害をくわえようとしたときには、政吉を捕らえる。お染の命を守ることが最優先だ。お染からの話によると、まず、その危険はないと踏んでいた。ところが今、想定外のことが起こっている。

山田浩史郎は苛立つ気持ちを抑えるのに必死だった。

「島田さん、あの人たちは、この長屋の住人ですか」

「そうだ。お染さんの家に入ったのが、隣に住む、近江屋の手代で久蔵。政吉と思われる男を引き込んだのが、米屋の万造と、酒屋の松吉だ。何が起きているのか、さっぱりわからん」

「風五郎の仲間ってことは……」

「それは絶対にない。あの連中に……、あはは。とてもそんなことはできん。すまん、笑っている場合ではないな」

「とりあえずは静観するしかありませんね。一応は、役宅にいる根本さんに知らせておきましょう」

万造と松吉は、政吉を座らせると、箱膳の上に置いてあった大きな徳利から酒を注いだ。

「酒は無調法(ぶちょうほう)でございまして、申し訳ございません」

政吉は酒好きな男だったが、よほど気を許した相手の前でなければ呑まない。もちろん今は呑める状況ではない。万造は無理強(じ)いをせずに、自分の猪口(ちょこ)を口に運んだ。

「今、お染さんの家に上がり込んでいるのは、近江屋の手代で久蔵って野郎なんで。お染さんの隣に住んでるんですけどね。まだ女も知らねえウブな男でして。確か二十一歳だったっけなあ。その久蔵が何をとち狂ったか、お染さんに岡惚れしちまいましてね。あっはっは。笑っちゃいけねえな」

松吉も喋りたくて仕方ない様子だ。

「さっきまで、ここで久蔵と三人で呑んでたんでさあ。おもしれえから、万ちゃんと二人で久蔵を焚きつけようと思いましてね。『当たって砕けろ、男ならお染さんを口説いてこい』ってそそのかしたら、久蔵の野郎がモジモジしやがって。踏ん切りがつかねえのが、またおもしれえ」

政吉は笑顔を浮かべながら、二人の話を聞いている。

「まったくでえ。ところが奴さん、酒の勢いでその気になってきましてね、おれと松ちゃんで背中を押してやったら、本当にお染さんの家に行っちまいやがった。相手にされるわけねえだろ。どうなることかと思いましてね、戸を半開きにして一杯やりながら見物してたら、あんたが来たって寸法で。野暮はきれえだからよ、あんたをここに引っ張り込んだわけでして」

緊張が少しほどけた政吉は、正座していた膝を崩した。

「そういうことでしたか。そりゃまた酔狂なことで」

「そんなわけで、少しばかり付き合ってもらいたいんで。じきに泣きながら出てきますから。これも人生修業ってやつだ」

万造は松吉に視線を送り、目で確認した。

「ところで、お染さんはどこの生まれなんですかい。あの人がこの長屋に越してきて半年ほどになるけど、だれも知らねえんですよ、お染さんのことは」

「私は、お染さんとは血のつながりはないんで。私の女房の伯母が、お染さんの母親と従妹だそうで。女房の伯母が甲州の出ですから、お染さんも甲州だと思いますが」

松吉は、万造と政吉の言葉を拾う役目だ。

「そうですかい。甲州ねえ……。お染さんは謎の多い女ですからねえ。みんながいろいろと噂をしてるんですよ。大店の主の妾じゃねえかとか、世間を欺いちゃいるが、大泥棒の一味じゃねえか、とかね。あははは」

万造も一緒になって笑ったが、政吉は無反応だった。だが「大泥棒」と聞いた瞬間に少しだけ目つきが鋭くなった。

「あはは……。馬鹿野郎。お染さんに縁のある人に何てことを言うんでえ。しかもはじめて会ったばかりなのによ。申し訳ありませんねえ、見ての通りの唐変木ですから」

「いえ、なかなか面白いお話で……」

「まあ、そんな噂が出るのも、お染さんがいい女ってこった。久蔵だけじゃねえ。

この長屋に、島田鉄斎って浪人が住んでるけど、あの人もお染さんにホの字だってもっぱらの評判だ。用もねえのに、お染さんの家の前をウロウロしてやがる。それに、ほら、あの役人も、お染さんにぞっこんだって噂だ」

「ああ、奉行所だか、火付盗賊改方だかしらねえが、確か、山口とかいう同心だ。役人風を吹かせた嫌な野郎だぜ。両国橋あたりで、お染さんを見初めたらしくてよ、お染さんのことを根掘り葉掘り聞いてきやがった。亭主はいたかだの、おけら長屋に来る前は何をしてたのかだの、面倒くせえったらありゃしねえ」

「そういえば、あの同心も、ちょくちょく長屋に顔を出すようになったな。目障りな野郎だぜ。役人ってだけで、いい気持ちはしねえからな」

万造と松吉は、自分たちの会話に夢中になっている。

「まったくだ。あの同心は本気だぜ。本気でお染さんに、おかっぽれよ。しかしお染さんも罪な女だねえ。久蔵、島田さん、同心ってよ。よーし、万ちゃん、だれがお染さんを落とすか賭けようじゃねえか」

「いいねえ。まず、久蔵の目はねえな」

「当たりめえだろ。ありゃ、まだ子供だ。おれは島田さんだ。だってよ……」

二人の話の聞き役に回っていた政吉は、突然に頭を下げた。

「それじゃ、私はこのへんで失礼させていただきます」

万造は、軽く手を合わせて、政吉を拝むようにした。

「すまねえが、もう少し待っちゃもらえねえかな。久蔵にとっちゃ一世一代の茶番劇なんで」

政吉は笠と振り分け荷物を手に持った。

「私も、そんな野暮な男ではございません。今夜は茅場町にある知人の宿に泊めてもらうことになっているのですが、あまり遅くなりますと心配するでしょうから。江戸には何日かおりますので、また寄らせていただきます」

松吉の表情は緩んだ。

「そうですか。酒が呑めねえって方を引きとめるのも無粋だしねえ。それにこっちの間ももたねえや」

政吉は、草鞋の紐を固く結ぶと、挨拶もそこそこに出ていった。さすがは盗賊、その姿はすぐ暗闇の中に溶け込んでいった。そのころ久蔵とお染は――。

久蔵は土間に足をつけたまま、座敷の隅に腰を下ろしていた。

「そうかい、十歳で奉公に出てから、おっかさんに会えたのは、その五年後に看取るときだけだったのかい」

「ええ。はじめてお染さんが挨拶にみえたとき、なんとなく、おっかさんに似ていたので戸惑いました。最初は、おっかさんを思う気持ちだったのかもしれません。でも、今は違います。だって、お染さんのことを思うと胸が痛くなるんですから。私も二十一歳、もう子供ではありません」

お茶を淹れたお染は、久蔵から少し離れたところに座った。久蔵には、その距離の意味がわかるだろうか。約束の時刻は過ぎている。盗賊は時間に正確だ。ほんの少しの行き違いが命取りになる。政吉は、久蔵が来ていることに気づいているだろう。徳兵衛さんや島田さんも慌てているはずだ。一番慌てているのは自分なのだが……。だが悪い気はしなかった。凶悪な盗賊の情婦だった汚れた女を、こんな純粋に好いてくれるなんて。

「困ったねえ。私にどうしろっていうのさ。夫婦にでもなろうっていうのかい。そんなことになったら世間の笑いもんだよ」

「私は笑われてもかまいません」

「笑われるのは私なんだよ。若い男を垂らし込んだ色狂いの女だってね。久蔵さんの気持ちは嬉しいよ。本当さ。でもね、若いときにはだれにでもあるもんなんだよ。麻疹みたいなもんさ。そのうちに忘れる。十年たったら、ちょっと気恥ずかしい思い出になってるくらいでね」

久蔵には、松吉が考えた作戦が理にかなっているように思えた。それよりもよい案が浮かばなかったのも事実だが。

「久蔵、おめえ、お染さんを口説け。その間に政って男は、こっちで何とかする。お染さんを助けたいと言ったのは、おめえだ。そのくれえの恥をかくのは我慢しな。それが男ってもんだろう。つれえんだよ、男になるってえのは……」

外から犬の遠吠えが聞こえる。声の主は松吉だが、それにしてもひどい声色だ。絞められたニワトリの断末魔にも聞こえる。おそらく隣にいる万造から頭をはたかれているに違いない。それが「男は帰った」という合図だった。

五日後の夜、大家宅では、徳兵衛と島田鉄斎が酒を酌み交わしていた。その横には、お染も座っている。

「島田さん、ご苦労様でした。これで、お染さんも安心してこの長屋で暮らすことができます」

お染は額を畳に擦りつけるようにした。

「うむ。根本さんの考えが正しかったわけだ」

「いやいや、お染さんをこの長屋に住まわせることを思いついたのは島田さんですから。やはり島田さんの手柄ですよ」

あの夜、火盗改の同心たちは、政吉の隠れ家をつきとめた。そして二日後、政吉が風五郎一味の集う宿に入ったことを確認し、一網打尽にした。大立ち回りの末、一味のほとんどがその場で斬られ、観念した風五郎は自害した。その夜の丑三つどきに、蔵前片町(くらまえかたまち)にある米問屋に押し入る手はずで、火盗改はそれを寸前で食い止めたことになる。

「それにしても驚いたのは、あの夜のことだ。久蔵さんだよ。いきなりお染さんの家に入っていったときには肝を潰した」

鉄斎はそう言って、徳兵衛の顔を見た。自分からは聞きにくいという表れなのだろう。徳兵衛はそれを察した。

「久蔵は何をしに来たんだい」

「ええ、久蔵さんが体調を崩していたのはご存知ですよね。あの日の夕方に甘酒を届けたのですが、それを少しもらえないかと。寒気がするようで、具合が悪そうでした。甘酒を温めていたら、土間に倒れ込んでしまって。帰すわけにもいかず、座敷に上げて少し横にさせました」

鉄斎は納得した様子で、盃(さかずき)を空(から)にした。

「そんなことがあったのか。だが解(げ)せないのが万造さんと松吉さんだ。あの二人はどうして政吉に声をかけ、家に連れ込んだのか、さっぱりわからん」

徳兵衛が自慢げに語りだす。

「島田さんは真面目ですからねえ。私は、あの酔っ払いの二人が考えることなどお見通しですよ。お染さんの家に入っていく久蔵を見て、夜這いだと勘違いしたんですよ。それを覗こうとしたら政吉がやってきた。それじゃあ、酒でも呑みながら一緒に覗きましょう、ってとこでしょうなあ」

徳兵衛と鉄斎は大声で笑ったが、もちろんお染は笑うことなどできない。

「そういえば、昨日、万造さんが私におかしなことを尋ねてきた」

《この前、両国橋で島田さんとお染さんを見かけたんですが、あっしには、島田さんがお染さんをつけているように見えたんですがね。いや、あれは絶対につけてた。まさか、お染さんにおかっぽれしたとか……》

「で、島田さんは何と答えましたか」

《そうか。それはまずいところを見られた。実はその通りでな。声をかけるつもりだったが機会がなかった。万造さん、武士の情けだ。このことは口外しないでくれ》

「考えてみれば、万造さんは武士ではありませんでしたな」

「申し訳ありません。島田さんに恥をかかせるようなことをして……」

お染の瞼には涙が溢れてきた。

徳兵衛の家を出ようとしたお染の目に、二つの人影が映った。万造と松吉が、久蔵の家に入っていくところだった。手には大きな徳利を提げている。あの二人が久蔵の家で酒を呑むなどはじめてだ。胸騒ぎがした。女の勘ってやつだ。

「おい、久蔵、このかわら版を見たかよ」

久蔵は二人を招き入れたが、口に指を立てた。

「大きな声を出さないでください。他人に聞かれたらどうするんですか」

勝手に座敷に上がり込んだ二人は、徳利とともに座り込んだ。

「しんぺえするねえ。お染さんは留守だ。それより、このかわら版だ」

急かす万造に、久蔵は懐から同じかわら版を取りだした。

「読みましたよ。驚きました。丑三つの風五郎一味がお縄になったって。風五郎をはじめ、一味のほとんどが殺されたと書いてあります」

松吉も同じかわら版を持っている。

「それじゃ、あの政って男も……」

「たぶん、そうだろうな。たとえ生きていたとしても、お縄になれば死罪は免れねえだろう。おれたちはよ、ただ、政って野郎に与太話を吹き込んで、お染さんに近づけねえようにしただけなのにな」

「ああ。火盗改だの、奉行所の同心だのが、お染さんの周りをうろついてるとなりゃ、警戒するだろ。いくらお染さんにぞっこんだからって、てめえの命の方が大切だ。諦めてくれりゃいいと思ったが、死んじまったとなりゃ、この上ねえや。今夜は祝宴だ。とことん呑もうじゃねえか」

いつもより酒の回りが早い。

「しかしよ、久蔵。おめえ、何と言ってお染さんに言い寄ったんだ。教えろよ。酒の肴になるじゃねえか」

「そんなこと、どうでもいいじゃないですか」

「よかねえよ。なあ、松ちゃん」

「そうだ。何て口説いたんだ」

久蔵は、たいして呑めもしない酒を一気にあおった。

《二十一歳の手代じゃ、お染さんに惚れてはいけませんか。……》

万造と松吉は手を叩いてはやし立てた。

「いよっ。泣けてくるねえ。芝居だって、そんな乙なことは言えねえや」

「で、どうしたい、年増女は。適当にあしらわれたか。それとも、まあ、かわいい久蔵さんって、抱きしめてくれたか」

二人は盛り上がっていたが、久蔵の様子がおかしいことに気づいた。

「お、おい、久蔵。ど、どうしたんだよ。お、おめえ、泣いてるのか……」

「まさか……、それが、お染さんに対する、おめえの本当の気持ちだったたってことかよ」

　久蔵は下を向いたまま鼻水をすすっている。万造は、少しの間をおいて、ゆっくりと膝を正した。

「そうだったのか……。すまねえ、久蔵。おめえに、とんでもねえ役を押しつけちまったなあ。だがよ、おめえは男の中の男だ。てめえを犠牲にして、惚れた女を守ったんだからよ。なあ、松ちゃん」

「そうともよ。久蔵のおかげで、お染さんのことはだれにも知られずにカタがついたんだ。風五郎一味がお縄になったことだって、お染さんを思う久蔵の気持ちが天に通じたからだ。長屋でこのことを知っているのは、おれたち三人だけだ。だから、何もかも忘れちまおうぜ。きれいさっぱりとよ」

　久蔵は、まだ頭を下げている。

「よし、松ちゃん、これから三人でナカ（吉原）に繰り出すか」

「いいねえ。おい、久蔵、女なんてえのは星の数ほどいるんでえ。おめえにそれを教えてやらあ。お染さんなんざ目じゃねえや」

　暗闇の中、壁の穴に耳をあてていたお染は、三人が出ていってからも、声を押し殺して泣き続けた。

本所おけら長屋　その六

はこいり

おけら長屋に住む女たちは、井戸端に集まる。飯を炊いたり、料理をしたりは、それぞれの家にある台所で行うが、水を汲み、米を研ぎ、野菜を洗い、洗濯をするのは井戸端。生活には不可欠な供給場であるとともに、社交場でもあった。

井戸端での主役は、左官職人・八五郎の女房、お里だ。屈託のない性格で、とにかく話が面白い。彼女が語るすべてが真実かは怪しいが、人を陥れるような嘘はつかないので、聞く方も安心だ。

聞き役は、たが屋・佐平の女房、お咲。謎の後家女、お染。そして姿を消した大熊一家の後に越してきた畳職人・喜四郎の女房、お奈津である。それぞれに大根を洗ったり、米を研いだりしながら、お里の話に耳を傾ける。

お里は、南森下町にある絹問屋・成戸屋に女中頭として奉公している。南森下町は、おけら長屋から南に二ツ目之橋を渡って、真っ直ぐの場所にあり、造作のない距離だ。成戸屋には、もう一人お多喜という女中頭がおり、お里とは一日交替で店に出る。お里の娘、お糸は今年で十九歳となり、お里が店に出ているときは安心して家事を任せられるようになった。成戸屋では、長屋の女たちが喜ぶ出来事が頻繁に起こるので、井戸端組は、お里の話を楽しみにしていた。

「今度、成戸屋で本家のお嬢様を預かることになってね。まったく厄介な話だよ」

「お嬢様って……」

お咲が、タワシで大根を擦りながら尋ねた。

「神田佐久間町にある志摩屋のお嬢様だよ」

「志摩屋っていえば、江戸じゃ一、二を争う絹問屋でしょう」

ほどよい具合に、お染が合の手を入れる。

「そうだよ。成戸屋、つまりうちの旦那様は、十歳のときに丁稚で志摩屋に入ってね。四十歳で番頭になって、八年前にめでたく暖簾分けってことで、南森下町に成戸屋を構えたのさ。つまり志摩屋は本家、こっちは分家。本家の言うことには逆らえないってことだよ」

「その本家のお嬢様をどうして、お里さんの店で預からなきゃいけないんですか」

お奈津は、お里、お咲、お染よりひと回り年が若い。人見知りしない性格なので、すぐに妹分として受け入れられた。

「それだよ。志摩屋の主は久太郎っていう人でね。もう立派な跡取りがいるんだけどさ。一番下に歳の離れた末娘がいるんだよ。十五歳になる娘で、お静さんっていうらしい。まあ、あれだよ、末娘だから目の中に入れても痛くないってやつで、甘やかしちまったんだろ。十五歳になって、見合いの話もチラホラくるようになったけど、女ひと通りのことは何もできゃしない。花嫁修業をさせるにも、自分の家じゃ甘えが出ちまう。そこで分家の成戸屋に白羽の矢が立ったたってわけさ。分家なら粗相があったって大目にみてくれる、ってとこだろうよ」

大根洗いはとっくに終わっているお咲だが、立ち去るつもりなど毛頭ない。

「でもさ、志摩屋さんくらいの大店になったら、嫁ぎ先は、上げ膳据え膳ってやつだろ。家事なんか覚える必要はないだろうにねえ」

「そうなんだよ。ところがね、去年、志摩屋の若旦那に嫁がきたんだとさ。この嫁が何もでききゃしない。ご飯の炊き方どころか、お茶さえ淹れられない。おかみさんは愚痴のこぼしっぱなし。嫁の悪口ほど楽しいもんはないからねえ。で、よく見たら、自分のすぐ側にも同じようなのがいる。こりゃ何とかしないと、自分たちが恥をかくって焦りだしたのさ」

「本当に、いい迷惑だねえ……」

お染の口調は、どこか他人事だ。

「でも、一番迷惑するのはあたしなんだよ。お嬢様の面倒はだれがみるのさ。昨日、旦那様に呼ばれてね。『お里さん、お嬢様のことはよろしく頼みますよ』だって。まったく冗談じゃないよ。その分、給金を上げてくれって、口から出そうになったけど『はい、わかりました』って言うしかないだろ」

お里とは逆に、聞き役の女三人は、楽しみが増えたことに感謝している。これから井戸端で「お嬢様騒動記」を聞くことができるからだ。

数日後、成戸屋がお静を迎える日がやってきた。前日、成戸屋では大晦日なみの大掃除を敢行し、お静が入る南側の一番上等な部屋は畳まで張り替えた。畳職人の喜四郎は、お静の相伴にあずかったことになるわけだ。

「お嬢様が埃でも吸ったら大変だ。念を入れて掃除をしなさい」

成戸屋の主、成吾郎は完全に舞い上がっている。自分が暖簾分けをしてもらい、志摩屋を出るときに、お静はまだ七歳だった。久太郎のお静に対する溺愛を目の当たりにしていた成吾郎は、過大な重圧を感じていた。手落ちがあったら、恩義ある本家に対して顔向けができない。お静が花嫁修業に飽きて、早々に引き揚げてくれることを祈るばかりだが、先のことはわからない。久太郎からは「しばらくの間」とだけ言い渡されており、期間は決まっていない。

手代の杉作が店に走り込んできた。

「旦那様、今、両国橋を渡りました。お嬢様は駕籠に乗っていると思われます」

店の中を落ち着かない様子で歩き回っていた成吾郎は、手を叩いて大声をあげる。

「おーい、お迎えしますよ。表に並びなさい。定吉、奥に行ってみんなを呼んできなさい」

成戸屋の前に整列した一同。近づいてくる駕籠の後ろには、荷物を担いだ十名ほどの一行が続く。成吾郎が頭を下げると、全員がそれに従った。まるで大名行列である。

客間に通されたお静は、勧められるまま上座に座る。正統派のお嬢様たる由縁だ。嫌味でも傲慢でもなく、ごく自然に振る舞える。

「おじさま、ご無沙汰をいたしました」

お静は両手を畳について、深々と頭を下げた。このあたりは、志摩屋で久太郎演出のもと、下稽古を積んできたのだろう。八年前は「成吾郎」と呼び捨てにされていたが、おじさまなどと呼ばれて、成吾郎は背中が痒くなった。

「すっかり美しい娘さんになられましたな。ここをご自分の家だと思って、気楽にやってくださいよ。川向こうまで来られてお疲れになったでしょう。今日はゆっくりとお休みになって、家事の方は明日からなさればよろしいでしょう。おーい……」

ここで、女中頭の出番となる。

「お里と、お多喜です。明日からお嬢様のお付きとなりますので、なんなりとお申しつけください」

お里と、お多喜は平身低頭する。

「志摩屋の娘、静でございます。不束者(ふつつかもの)ではございますが、よろしくお願い申し上げます」

成吾郎は、志摩屋から、お付きの女中を一人、同行させることを求めたが、久太郎に断られた。

「一人で行かせなければ意味がない」

これは「修業させる」という建て前だろう。志摩屋と成戸屋は歩いて半刻(はんとき)もかからぬ距離。心配ではあるが、お付きの女中は必要ないと判断したのだろう。

翌朝、お里は成吾郎に確認した。

「まずは掃除からと思いますが、何をしていただきましょうか」

「危ないことはダメですよ。怪我(けが)でもされたら一大事だ」

「でも、そこまで心配していては何もでききゃしませんよ。十五歳といえば、いくらお嬢様だからって、何が危ないかくらいの分別はあるでしょう」

「そりゃそうだが。とにかく今日は初日です。とりあえずは……、そうだ、雑巾がけにしなさい。頼みましたよ」

お里は、お静の部屋を訪ねる。旦那様たちと朝食を済ませ、家事用の着物に着替えてお里を待っているはずだ。

「お里さん、おはようございます。志摩屋の娘、静でございます」

「それは昨日も聞きましたから」などとは、とても言えない。挨拶(あいさつ)の言葉として頭に刻み込まれているのだ。よく見ると、お静の上半身には、白い紐(ひも)が幾重(いくえ)にも絡(から)みついている。だれかに縛られたのだろうか。お里は青くなった。成吾郎が見たら失神するはずだ。

「お、お嬢様、どうなさいましたか」

「え、ええ。タスキ掛けをしようと思いましたが、こんがらがってしまって……」

白い紐は、肩や脇だけではなく、首や腰、そして腕にも絡まっている。左手は動かなくなっているようだ。お里がその紐を解(と)き、まともなタスキ掛け姿を完成させるにはかなりの時間がかかった。さらに――、お静は正絹(しょうけん)の着物姿だ。

「あの、お嬢様、これから掃除などをしていただくのに、そのような高価な着物では。他に何かございませんか」

「これが、私の持っている着物の中では、一番汚いもので……」

嫌味ではない。本当のことをそのまま話しているのだろう。考えてみれば、江戸で一、二を争う絹問屋の娘だ。

二人は廊下に移動する。

「まず、私がやりますので、よく見て覚えてくださいね。まず、裏の井戸に行って、桶に水を汲んできます。重いですからね。定吉に言えば汲んできてくれますから。今日は私がやりますけど」

　お静の目は真剣だ。だが、逆にその目が少し恐ろしくもある。

「それでは、ここからはじめましょうか。この雑巾を桶で濯いで固く絞ります。そしてこうやって、拭きます。雑巾が汚れたら、また桶で濯ぎます。この繰り返しですね」

　雑巾を渡されたお静は嬉しそうだ。

「それでは、私は台所に顔を出してきますからね。お嬢様はここで雑巾がけをお願いしますね」

　成吾郎は自室でお茶を飲んでいた。雑巾がけなど微笑ましいではないか。でも気になる。とてつもなく気になる。ちょっと覗いてみるか。廊下の角から顔を出すと、突き当たりで、お静が廊下の床を一心不乱に拭いている。あんなに根を詰めてやってたら先がもたんぞ。いや、あれでよいのだ。性根尽き果てて一日も早く志摩屋に帰ってくれれば、それだけ自分の寿命も延びるというものだ。などと思いながら眺めていたのだが、何かがおかしい、違和感がある。そこにお里が戻ってきた。

「お、お嬢様、先程からずっとここを拭いていたのですか……」

「ええ」

お静は返事をしながらも、手を動かし続けている。

「あ、あのですね、廊下っていうのは長いんですよ。ここだけ拭いてたら、明日になっても終わりゃしませんよ」

「でも、ここを拭いてくださいって……」

お里が頭を抱えると、成吾郎が走ってきた。

「お里さん、いいじゃありませんか。こうやって一生懸命に磨いて……、あっ、廊下の床がここだけ白くなっちゃって……」

磨きすぎたために、床が剝げてしまったのだ。動転する成吾郎にひと言、返すお里。

「いいじゃありませんか。こうやって一生懸命にやったのですから」

お静は二人の会話を無視して、床を拭き続けていた。

午後になって、お里が選択した仕事は水撒き。せっかく井戸から水を汲む方法を教えたのだから、それに関わる仕事が有効だ。

「今日のような風の強い日は、埃が立ちますね。埃が店の中に入れば、商売物の絹にも差し障りがでます。店の前に水を撒いて埃がたたないようにするわけです。こうやって手桶と杓を持って、チョイチョイって。わかりますか」

お静の目には一点の曇りもない。怖いといえば怖い。

「道を歩く人には充分に気をつけてくださいね。特に質の悪い浪人やお武家様。どんな因縁をつけられるかわかりません」

神妙に話を聞く、お静。成吾郎からは、できる限りお静の側についているように言われているが、仕事は他にもたくさんある。つきっきりというわけにはいかない。

「一人でできますよね」

「はい」

「それじゃ、すぐに戻りますから。あっ、それから、これは念のために言うんですけどね、同じところにずっと水を撒いても意味がありませんからね。幅広くお願いしますね」

お里から手桶と杓を受け取ると、お静は水を撒きはじめる。なかなかの手つきだ。ちゃんと移動しながら撒いているのを確認して、お里はその場を離れた。

しばらくして、お里が戻ると、お静の姿が見当たらない。水を撒いた跡が道の向こうまで点々と続いている。その方向から、使いに出た定吉が帰ってきた。

「定どん、お嬢様を見かけなかったかい」

「ええ。お嬢様なら、高橋を水を撒きながら渡っていきましたよ。チョイチョイとか口走ってましたけど」

井戸端で、お咲、お染、お奈津の三人は笑い転げた。お咲などは涙が止まらない。

「あー、お腹が痛い。それで、どこまで水を撒きに行ったんだい。できれば、この長屋の前もやってほしかったね」

「笑いごとじゃないんだよ。あたしと定どんで捜しに行ってさ、霊巌寺の前でやっと捕まえた。門前にいた和尚さんからはお礼を言われちゃったよ。ちょっと、お染さん、あんた笑いすぎだよ」

と、言いながらも、笑ってもらって嬉しいお里だ。

「ごめんよ。でも可愛いじゃないか。今どきはスレた小娘ばっかりだからね。笑い話になるっていいことなんだよ。きっと」

「でもね」

お奈津は少し納得いかない様子だ。

「私は正絹の着物なんて、生まれてこのかた一度も袖を通したことはありませんよ。しかも、そんな道楽みたいな家事修業だなんて。こっちなんか明日のおまんまの心配してるっていうのにねえ」

「よしなよ。そんなこと考えちまったら、こんな長屋じゃ暮らしていけないよ。じゃあ、こう考えたらどうだい。そんなお嬢様じゃ、こうやってさ、井戸端で気の合ったおかみさん連中と笑い合うなんて生涯できゃしないよ。あたしはこっちの方が幸せだと思うけどねえ」

　お咲の意見に、お染も同調する。

「そうさ。金持ちなんてえのは苦労が多いらしいよ。どうやって身代（しんだい）を守ろうか、千両箱は盗まれやしないか、火事になって家財が燃えちまったらどうしようって、心配で夜も眠れないってさ。それに比べて、こっちはどうだい。なーんにもありゃしない。その日のことだけ考えてりゃいいんだから気楽なもんさね」

　お奈津はまだ頬（ほお）を膨らませていたが、目は笑っている。

「さすがは、おけら長屋の筋金入り（すじがねい）り。私は、まだその域に達していませんから」

「おや、お奈っちゃんも言うようになったねえ。こりゃ一本とられたよ」

　満座の大爆笑。

「ところで、そのお静さんとやら、実家に帰る様子はないんですか」

　お里は苦笑する。

「ない。まったくない。なんだか活き活きとしてるよ。でもさ、本当は店の者たちも楽しんでんだよ。これから何をしでかすかってね。定吉なんて寝坊もしなくって、一番に店に出るようになったし。それに、落ち着かない旦那様を見ているのが、これまた面白いらしい」

「お里さんはどうなんだい」

「あたしとお多喜さんは心から迷惑してるさ。なにかあったら、あたしたちの責任だからね。だけどさ、こっちにだって仕事があるだろ。目を離すときだってあるさ」

「目を離すって、まるで子供だね」

「まったくだよ」

夕日が大川の向こうに沈もうとしている。下準備を終えた女たちは、これから夕食の支度にとりかかる。


成戸屋からおけら長屋に帰る途中、お里が二ツ目之橋にさしかかると、橋の下の石段に一人の男がたたずんでいる。成戸屋の手代頭、美濃吉だ。得意先を回っての帰りだろう。ただぼんやりと竪川の水面を見つめている。美濃吉は先月、目黒で一人暮らしをしていた母親を亡くしていた。母一人子一人だったから悲しみも、ひとしおなのだろう。

成戸屋の主人、成吾郎は志摩屋から暖簾分けをしてもらう際、手代だった美濃吉を連れてきた。成戸屋には治兵衛という番頭がいるが、帳簿の管理が主な仕事で、商売に関することは美濃吉が取り仕切っていた。それだけに成吾郎からの信用も厚い。

「どうしたんだい、美濃吉さん」

美濃吉は我に返ったように振り向いた。

「お、お里さんですか」

「夕暮れに水面を眺めるなんて、美濃吉さんには風流もあるのかい」

「からかわないでくださいよ。十歳で奉公に出てから十八年、商い以外のことは何も知らない私に風流なんてあるわけないでしょう」

美濃吉はまた、お里に背を向けた。竪川の水には動きがほとんどなく、どんよりとしている。お里も美濃吉の隣に立った。

「あたしも風流なんてガラじゃないけどさ、いいもんだね。こんな身近な景色もさ」

しばらく、二人は黙っていた。

「おっかさんのことでも考えていたのかい。奉公人は辛いねえ。親の具合が悪くなったからって、大手を振って面倒をみることはできないから。でも、美濃吉さんはよくやってたよ。仕事が終わってから、おっかさんの面倒をみに目黒に行って、朝にはちゃんと店に戻ってた。だれにでもできることじゃない。あたしは立派だと思うよ。おっかさんは、そんな美濃吉さんの優しい心根をわかっていたはずさ」

「旦那様にも、ずい分と仕事の融通をしていただきました。ありがたいことです。私が所帯でも持っていれば、女房におっかさんの世話をさせることができたのですが……」

　肉親がこの世を去った悲しみは、時が解決してくれる。自然に任せるしかない。そう思って、お里はその場から離れようとした。そのとき——。

「店の金に手をつけてしまいました」

　美濃吉の口から出た言葉に耳を疑った。

「えっ、今、何て言ったんだい」

「店の金に手をつけてしまいました」

　美濃吉は、まったく同じ台詞(せりふ)を、同じ抑揚(よくよう)で口にした。お里は、まず自分が落ち着くことが肝心だと思い、少しの間をおいた。驚くのはやめよう。些細(ささい)な世間話でも聞くように——。

「へえー、美濃吉さんがねえ。女かい、それとも博打(ばくち)かい。うちの亭主は両刀遣いだけどさあ……」

「心の臓に効(き)くって薬です。高麗(こうらい)の薬で、医者に『おっかさんを助けるには、この薬しかない』と言われましたが、値を聞いて一度は諦めました。とても私などに買える額ではありません。でも、どうしてもおっかさんを助けたくて。それで、つい、店の金に手を出してしまいました。魔が差したんです。とんでもないことをしでかしてしまいました」

「で、いくらなんだい。手をつけた金は」

「三両です」

　金額を聞いたお里は、なぜかホッとした。長屋暮らしの庶民にとって三両は大金だ。融通してやれる金額ではない。だが、店の金に手をつけたと聞いたときには「十両」「五十両」という額を思い浮かべていたからだ。

「馬鹿だねえ。馬鹿だよ、美濃吉さんは。三両だろ。それも、おっかさんを思っての薬代じゃないか。旦那様に話せば何とかしてくれたかもしれない。しみったれなところもある人だから、どう出たかはわからないけど、ダメだと言ったら店のみんなで詰め寄ってやったのに。人でなし、ってさ」

　自分が興奮してどうする。お里は気持ちを抑えた。

「奉公人の分際で、とてもそんなことは言えません。人には身分相応ってものがあります。薬が買えない人など、世の中にはいくらでもいますから。でも、おっかさんはあんなに高価な薬を飲んだのに助からなかった。結局は、高麗の薬なんて金持ちの気休めなんです。魔が差したのは、自分の立場をわきまえなかった私の責任です。旦那様にすべてを話せば許してくれるかもしれません。でもね、たとえ理由は何であれ、私が店の金に手をつけてしまったのは事実なんです。許してくれたとしても『一度、店の金に手をつけた男』という烙印（らくいん）は生涯消えません。商人に一番大切なものは信用です。私は、その信用を失うことをしてしまったのです」

　美濃吉は、これからどうするつもりなのだろう。その結論が出ている様子はない。

「あたしには、お店の金銭や帳簿のことはわからないけど、その手をつけちまった三両ってえのは、いつ露見しちまうんだい」

「お得意様の売上の締め日を一日ずらしたので、集金が一か月後になります。ですから一か月後には露見してしまいます。番頭さんが帳簿と現金を合わせますから」

　まだ時間はある。それに、この場で最善の結論を出せるとは思えない。

「何とでもなるじゃないか、三両くらい。落としたとか、物取りに遭（あ）ったとか、いくらだって方法はあるさ。とにかく少し考えようよ。あたしはこう思う。亡くなったおっかさんが美濃吉さんを見守ってくれてる。おっかさんを助けたい一心でやったことじゃないか。きっと、おっかさんが助けてくれるさ。それよりも、よくあたしに話してくれたね」

美濃吉は水面を見つめたままだ。

「さっき、ここに立ってね、だれかに話そうかって悩んでいたんです。そうしたらお里さんに声をかけられた。お里さんが言うように、おっかさんが導いてくれたんですかね。考えてみれば、お店でこんな話を打ち明けられる人は、お里さんだけですから……」

この話は井戸端ではできない。お里はそう思った。


お静は相変わらずの間抜けぶりを披露していた。この日は、もう一人の女中頭、お多喜について台所に入っていた。夕食の下ごしらえである。

「それじゃ、お嬢様、この大根をおろしてもらいましょうか」

「はい」

お静は調理台の上に置いてあった三本の大根を、一本ずつ床に下ろしだした。お多喜の後ろにいた若い女中のお多江（たえ）は、口を押さえて外へと飛び出していく。

「いや、床に下ろすんじゃないんですよ。大根を『おろす』というのは、おろし金（がね）で摺（す）りおろすことなんですよ」

「はー、それで大根おろしというんですか」

もちろん、お多喜を馬鹿にしているわけではない。それは、お多喜にもよくわかっている。

「そうそう。お上手ですねえ。それが終わったら、大根の葉を叩いてください」

「はあ、叩く……」

「すいません、私の言い方が悪うございました。叩くというのは包丁で細かく切ることです。ゆっくりでいいですから。指を切らないように、お願いしますよ。そうです。できるじゃありませんか。これは御付けの実にしますから、切り終わったらこの器の中に入れておいてください。あとは……、そうですね、こっちの大根を千六本に切ってもらいましょうかね」

「この大根ですね」

　お静は持っている包丁で大根を指した。

「危ないじゃありませんか。あの、千六本の意味はわかりますよね」

「はい。千六本ですね。それくらいなら知っています。でも不馴れなものですから、少し時間がかかるかもしれません」

　時間がかかるのは大いに結構だ。お多喜やお里にしてみれば、とりあえず時間が経過しさえすればいいのだ。

「それじゃ、私はちょっと杉どんのところに行ってきますから。怪我だけはしないでくださいよ。ゆっくりでいいですからね」

しばらくして戻ると、勝手口でお多江が台所を覗きこみながら、口を押さえて震えている。

「あんた、自分の仕事は終わったのかい」

お多江は、前屈みになり、中を指さす。

「だって、お多喜さん、あれを見てくださいよ。ぷっ……」

お静が調理台に向かって、何か呟いている。

「八百五十六、八百五十七、八百五十八、八百五十九……」

お多喜は、お多江の肩を突っついた。

「なんだい、ありゃ」

「たぶん、千六本まで数えることになると思いますけど」

お多喜はめまいがするのか、右手の指でこめかみを押さえた。

「なんで教えてやらないのさ」

「だって、あそこまで必死に数えたんですよ。もう少しってとこで本当のことを教えたら、かわいそうじゃないですか」

お多喜は大きな溜息をついた。

「ふー。そりゃ、あんたの言う通りだ。とりあえずは千六本まで数えてもらいましょうか」

お静の勢いは増すばかりだった。盆栽には、たらいごと水をかけてしまう。金魚鉢には餌をひと袋入れてしまう。このあたりまでは笑いで済んだのだが……。

店前の通りが何やら騒がしい。お里が通りに出るより早く、二人の浪人が店の中に怒鳴り込んできた。

「い、痛い。放してください」

一人の浪人が、お静の手首を捻りあげている。格上と思われる男が凄んだ。

「この女は、この店の女中か。無礼にも拙者の袴に水をかけやがった。店の主はいるか。いるなら出てこい」

恐れていたことが起こった。まったく予期せぬ出来事ではない。成吾郎は外出中で、今、店にいるのは、番頭の治兵衛、手代頭の美濃吉、丁稚の定吉だけだ。

水をかけて怒鳴られたお静は、驚いて尻餅をつき、慌てて起き上がろうとしたときに、浪人の刀につかまったというのだ。その光景が目に浮かぶ。

「武士の魂につかまり立ちするとは許せぬ所業。主はいるのか」

二人からは酒の臭いがする。質の悪いごろつき浪人だ。番頭の治兵衛が──。

「ただいま、主は留守でございまして」

素早く二朱金を紙に包むと、浪人の手に握らせる。

「申し訳ございません。今日のところは、ひとつこれでご勘弁を……」

「馬鹿にするな。おれたちは揺すりたかりじゃねえ」

浪人は金を床に叩きつけると、その手で治兵衛の顔を殴りつけた。そして倒れ込んだ治兵衛の鼻先に、抜いた刀の先を近づける。みんなが顔をそむけたのは、差し込んだ陽射しが刀に反射したからではない。

「主がいないのなら仕方がない。責任は、この娘にとってもらう。明日になったら返してやるから安心しろ。行くぞ」

お静の手首を捻りあげている若い浪人は、男の後に続いて店から出ていった。

なんとか立ち上がった治兵衛は店の中を右往左往するばかりだ。

「旦那様に知らせなくては。定吉、旦那様はどこに行った。吉原か、品川か、千住か、新宿か」

遊郭の地名しか出てこない。そんな中、お里が美濃吉に何やら耳打ちをしている。美濃吉の顔色が変わった。

「番頭さん、ここから五両いただきます」

美濃吉は銭箱の中から五両を鷲づかみにすると、飛び出していった。治兵衛と定吉は腰が抜けたように、その場にへたりこんだ。

それはかなり長い時間に感じたが、実際はほんの片時だったはずだ。美濃吉が戻ってきた。お静も一緒である。美濃吉の顔には痣があったが、お静は無傷だ。

店に戻って、あらましを聞いた成吾郎は胸を撫で下ろした。まず、小言を食らったのはお里である。

「だから目を離しちゃいけないと言ったじゃありませんか。そんな連中に手込めにでもされたら死んでも償い切れません」

神妙に小言を聞いているお里だったが、心の中では舌を出している。

《ふん、だれのおかげでお嬢様が助かったと思ってるのさ。本当のとこは、だれにも言えないけどね》

それに対して、美濃吉は大いに株を上げた。

「美濃吉、今度のことはお前さんのお手柄ですよ。お嬢様に何かあったら金で済む話じゃない。五両なんて安いもんです。私はお前さんの店を思う気持ちに感謝してるんです。志摩屋の旦那様を怒らせたら、この成戸屋だってどうなるかわかりません。おそらく商いを続けていくことはできまい。そこまで考えたからこそ、お前さんは命がけでお嬢様を助けに行ったのでしょう。商いってもんは損得勘定ができなきゃいけません。ときには、損して得とれってこともある。お前さんは一瞬のうちに機転を利かせて、たった五両で成戸屋の看板を守りました。それが商人というものです。やはり私が本家から連れてきただけのことはある。私の目は節穴ではなかった。来月から美濃吉を二番番頭にします。みなさん、よろしいですね」

美濃吉は、店に戻ってきた成吾郎に、まず、自らの行動を報告している。

「あのごろつき浪人は、金が目的だったはずです。ただ、番頭さんが差し出した額では納得しなかったのでしょう。紙包みを見れば小判ではないことがわかりますから。私も志摩屋の手代だった者です。志摩屋の旦那様がどれほどお嬢様を大切になさっていたかは、よく存じております。志摩屋の旦那様はすべての身代を投げ打ってでも、お嬢様を助けるはずです。私は五両を握りしめて、ごろつきを追いました。前を歩く浪人を脇の路地に引き込むと、土下座をして『うちの女中を返してください』と懇願しました。お嬢様ということが知れると、値踏みされるかもしれませんので、あえて女中と呼びました。ごろつきは私の顔を蹴り上げ、罵詈雑言を浴びせました。私は、そこで五両の金を出したのです。

『こちらに無礼があったことは認めます。申し訳ございませんでした。失礼かとは思いますが、この五両で何もなかったことにしていただきたいのです。それでもこの女中を連れていくというのなら、奉行所に訴え出ます。たとえ私がここで斬られても、店の者がすぐ奉行所に駆け込む手はずになっています。どちらにいたしますか』

ごろつきは五両の金を懐に入れると、もう一人の浪人に、お嬢様を放すように命令し、鼻歌まじりで消えていきました」

「たいした度胸だね。その美濃吉さんとやらは。その場になったら、なかなかできるもんじゃないよ」

お里の話を聞いたお咲は感心しきりだ。米研ぎの途中なのに、さっきから手は止まったままだ。

「しかし、危ないところだったねえ。連れていかれた後のことを想像するだけで、身の毛がよだつよ」

お染は、そう言うと「桑原桑原」と唱えている。

「でも、世間知らずのお嬢様は、少しくらい怖い目に遭ったほうがいいんですよ」

相変わらず、お奈津はお静に手厳しい。お里はそれを受けて——。

「お奈っちゃん、あたしもそう思うよ。何事も勉強さ。どんなことが起こったって、自分の肥やしにしなきゃダメなのさ。まあ、あのお嬢様は無理だと思うけどね」

お里は、その言葉で美濃吉のことを思い出していた。

あのごろつきが、お静の手首を捻りあげて店に入ってきたとき、機会を待って、その計画を美濃吉に耳打ちした。

「あいつら、結局は金が目当てだ。五両を持って追いかけていきな。いいかい、渡すのは二両だよ。あとの三両は、お嬢様を助けた美濃吉さんの駄賃だ。さあ、行っといで。十八年も奉公した苦労が無になることを考えたら、ごろつきなんて怖くはないはずだ。美濃吉さんならできるさ」

美濃吉の行動に抜かりはなかった。一人の浪人を路地に引き込んだので、お静に金額は聞かれていない。奉行所に訴えると、毅然とした態度で対応したこともあり、再び揺すりに訪れることはないだろう。その結果、美濃吉は、三両を穴埋めすることができ、二番番頭に昇格することになった。

「お里さんのおかげです。ありがとうございました」

「言っただろ。おっかさんが必ず助けてくれるって。すべてが丸く収まったじゃないか。ねえ、二番番頭さん」

お里は、美濃吉が次に発する言葉を待った。旦那様からの信用が厚くなり、番頭に出世したことで、少しでも浮かれていたら、横っ面を引っ叩いてやるつもりだったからだ。それが、真実を知っている唯一の人としての責務だ。さて美濃吉はどう出るか――。

「私は、一生苦しんでいくのだと思います。店の金に手をつけた男が番頭に出世するなんて、たとえ、おっかさんが許しても、お天道様が許しちゃくれません。私がするべきことはただひとつ。直向きに、真面目に、成戸屋のために働くことだけです」

お里が大きく吸い込んだ空気は、なぜかとても新鮮だった。

そんな裏事情を露ほども知らない井戸端の女たちは、お静の話題で盛り上がる。

「ねえ、お里さん。話だけ聞いてるのは辛いよ。あたしも、そのお静さんとやらを一度でいいからこの目で見てみたい。今度、成戸屋さんに遊びに行ってもいいかい」

お咲の発案に、お染も、お奈津も賛同する。

「冗談じゃないよ。タダじゃ見せられない。浅草奥山の見世物小屋よりよっぽど面白いからね」

「じゃあ、この豆腐でどうだい」

お染が豆腐を差し出した。もちろん洒落である。

「お染さん、あんた、変わったよね。すごく明るくなったもん。そうさね、ついでにその大根もつけてくれれば考えるよ」

お染が大根を隠したので、また笑いが起きた。

「お嬢様は、もうすぐ志摩屋に帰されると思うよ。一昨日は旦那様が大切にしていた壺を割っちまうし、昨日は籠の文鳥を逃がしちまった。ごろつきの一件もあったしね。旦那様は、もう限界だって嘆いていたから」

「それじゃ、もうお嬢様の話は聞けなくなっちまうのかい。この節は、それだけが楽しみだったのにねえ……」

お咲は肩を落とした。

奥の座敷には、成戸屋の奉公人が集まっている。

「みんな集まったかい。そこの障子はしっかり閉めなさい。えー、治兵衛も、美濃吉も、杉作も……、それから、お里さんも、お多江さんもいるね」

成吾郎は明らかに興奮している。

「これから私の言うことを、よくお聞きよ。もちろん、お嬢様のことだ。これからお嬢様には何もさせてはいけません。あれは名代の箱入り娘だ。このままでは成戸屋はなくなってしまいます。言ったことは何でも真に受けちまう……。おや、何か臭わないかい」

奉公人たちの反応はない。

「とにかく、何か用をお頼みするときには、必ずだれかが側について決して目を離してはいけません。これから何かあったら、お前さんたちの給金から差っ引きますからね……。何か、きな臭いような……」

奉公人たちの無反応は続く。

「まあ、そんなことはどうでもいい。たとえば、だ。たとえば、あのお嬢様に『風呂に火をつけてください』などと頼もうものなら、風呂釜にではなく、風呂そのものに火をつけちまうんだよ。そういう人なんだから、お前さんたちが充分に注意しなければいけません。わかりましたね。まあ、頃合いを見て、お嬢様には引き取ってもらうつもりですがね。ところで、何だろうね、この臭いは……」

何人かが、その臭いに気づいて鼻をひくつかせている。

「お、おい、定吉。お前、どうしてここにいるんだ。お嬢様についていなさいと言っただろ」

「だって、番頭さんが、みんな集まれと呼んでましたので」

「しょうがないやつだ。それで、お嬢様はどうしてるんだ」

定吉の声は小さくなる。

「へえ、それが……」

「何だ、早く言いなさい」

「それが、ちょいと用をお頼みしまして……」

「またか。何を頼んだんだ」

「それが……」

「それがじゃ、わからんだろ。はっきり答えなさい」

「風呂に火をつけてほしいと」

「何だと――」

一同が座敷から飛び出すと、庭の離れにある風呂から火の手があがっている。お静はその炎を呆然と見つめていた。その光景を、成吾郎たちが呆然と見つめている。最初に我に返ったのは美濃吉だ。

「水だ～。杉作、定吉、水を汲んでくるんだ。母屋に燃え移る前に何としても消すんだ」

江戸の長屋や商家には貯水槽が設けられている。火事に素早く対応するためだ。女連中が水を汲み、男連中は必死に水をかける。成吾郎はなぜか手に位牌を持って走り回っている。まったく役に立っていない。

「お、お嬢様は何もしないで結構ですから。今日のところはひとまず、志摩屋さんにお帰りください。お、お里、お嬢様を志摩屋さんまでお送りしなさい」

お里は、お静の手を引くようにして両国橋を渡った。半鐘の音が聞こえてこないので、風呂場だけで消し止めたようだ。それにしても――。お静は自分のしでかした意味をわかっているのだろうか。素頓狂な表情は、いつもと変わらない。

志摩屋の主は、突然に戻ったお静に驚いたが、お里はその理由を言わなかった。

志摩屋からの帰り、お里は背後から声をかけられた。

「あっ、島田の旦那……」

島田鉄斎は、自分から声をかけておきながら、ばつの悪そうな顔をした。その表情は少年のようだ。

「どうだった、お里さん、私の芝居は。なかなかのもんだっただろ」

「冗談じゃありませんよ。あんな墨で描いた髭に、頬の傷。まあ、みんなぶるっちまって、島田さんの顔なんて見ちゃいませんでしたけどね」

ここで、お里は姿勢を正し、頭を下げた。

「すべてが丸く収まりました。美濃吉さんの心も腐っちゃいなかった。あたしはそれが嬉しくてね。島田さんのおかげです」

「ちょっと危険だったがな、あんな方法しか思い浮かばなかった。ところで、これはどうする」

鉄斎は自分の懐を二、三度叩いた。

「手下の浪人を演じた道場の若いもんに酒を呑ませて、手間賃を渡したが、あとはそっくり残っている」

「島田さん、目黒の方に行くことはありませんか。行人坂の脇に正念寺って小さなお寺があるんですけど、そこの賽銭箱に放り込んどいてください。そのお寺に美濃吉さんのおっかさんが眠ってるんで」

「なんだ、私はタダ働きか」

島田鉄斎は苦笑い（にがわらい）を浮かべて頭を掻（か）いた。

本所おけら長屋　その七

ふんどし

おけら長屋の大家、徳兵衛は一枚のビラを手にしていた。両国橋のたもと、尾上町にある料亭「花月」が発行したものである。悪い予感がする。大事にならなければよいのだが――。

翌日、そのビラを手に入れた万造と松吉が相模屋の隠居、与兵衛のところに駆け込んできた。

「な、何だい。二人して騒々しいね」

おけら長屋には「万松は禍の元」という格言もあるほどだから、及び腰になる与兵衛の気持ちは理解できる。

「ちょいと上がらせてもらいますよ。このビラを読んでもらいてえんで。何ね、だいたいのところはわかるんですがね、間違いがあっちゃいけねえんで」

万造は与兵衛にビラを手渡した。

「ほー、だいたいわかっているなら、まずは簡単に説明してもらいましょうか」

「へえ。つまり、何が、何しましてね。そんなこんなで、とどのつまりは、お爺さんは山に芝刈りに、お婆さんは川へ……」

「少しもわかっていないようだな」

松吉が肘で万造を突いた。

「だから素直に聞けって言っただろ。ご隠居さん、おれたち、平仮名しか読めねえもんで」

　万造はこめかみを指先で掻いた。

「緑町にだるま長屋ってあるでしょう。そこに栄太郎って野郎が住んでるんですが、あっしとはガキの時分から、てんで相性の悪い野郎でね。その栄太郎が、このビラを持ってましてー」

　万造の一人芝居が始まった。

《おう、栄太郎。今、何か隠しやがったな。なんでえ、そのビラは》

《へっ、おけら長屋のみなさんには関係ねえこった。うちの長屋にゃ大ありだけどよ。なんたって、だるま長屋にゃ男が揃ってるからよ》

《気に入らねえな、今の言いようは。ちょいと見せな》

《見せたって、てめえは字が読めねえだろ。よしとけ、よしとけ。おけら長屋の連中じゃ、怪我でもして恥をかくのが関の山でえ。あっはっは》

《何だか知らねえが、おれたちを馬鹿にしてやがるな。いいから、そのビラをよこせ》

《何をしやがる、放しやがれ》

《うるせえ、この野郎。よこしやがれ》

　ここで万造は我に返ってー。

「ってなわけで、取り上げてきたのが、このビラでして」

話を聞きながら、ビラに目を通していた与兵衛は苦笑いをする。

「そういうことか。なるほど。栄太郎って人の言っていることにもつながりました」

万造は膝を小刻みに動かして与兵衛ににじり寄る。

「勿体つけねえで、早く教えてくださいよ」

「そう焦りなさんな。ものには順序というものがある。わかりやすく説明してやるから、落ち着いて聞きなさい」

いらつく万造の背中を、松吉が軽く叩いた。

「両国橋のたもと、尾上町に花月って料亭があるだろ」

「ええ、二階の座敷から大川が眺められるってんで評判の料理屋でしょ。あっしたちが行けるような店じゃありませんがね」

万造の半纏の背を引っ張ったまま、松吉が答える。与兵衛に気持ちよく喋らせた方が得策だと判断したからだ。

「その、花月の主人というのは、大変な相撲好きのようだな」

「へえ。あっしも聞いたことがあります。何でも贔屓にしてる関取が勝つと、タダで呑み食いさせてるって。尾上町に店を構えたのも、回向院の近くだからって話で」

「ほー、詳しいな、お前さんは。その花月が主催して『長屋対抗相撲大会』を開くと書いてある。場所は富岡八幡宮の境内にある土俵。長屋から三名の代表を出して、二人が勝てば次に進める勝ち抜き戦。優勝した長屋には賞金十両と、四斗の酒樽贈呈。申し込みには必ず地主、大家の許可を得ること。申し込みの締め切りは……、今月の末までだな。詳しい日程などは、申し込み締め切り後に通達する。まあ、そんなところだな」

たちまち万造の顔が歪む。

「栄太郎の野郎、おけら長屋の連中じゃ、怪我をして恥をかくだけだと抜かしやがったな。許せねえ。おう、松吉、行くぜ」

「行くって、どこによ」

「決まってんだろ、大家のとこだ。大家の許可がいるそうじゃねえか。ご隠居さん、すまねえが、後で申し込みってやつを書いちゃもらえませんかね」

「任せなさい。五十過ぎた老いぼれに相撲は取れないが、それくらいの手助けならできる。なんせ、この長屋の名誉のためだからな」

万造は松吉を引きずるようにして出ていった。与兵衛は、こみ上げてくる笑いを抑えることができない。予想していたこととはいえ、面白いことになりそうだ。もちろん、おけら長屋の名誉などはどうでもよい。隠居してから、滑稽で愉快な出来事がとんと少なくなった。これは極上の冥土の土産になるかもしれない。

徳兵衛は二人を座敷に上げて、お茶を出した。

「そのうち来るとは思っていたが、ずいぶん早いな」

「大家さんは、あっしたちが来るのをわかってたんで」

徳兵衛は二人の前にビラを差し出した。

「これじゃろ」

手をひとつポンと打つ万造。

「いよっ、それなら話がはええや。まったく地主だ、大家だって面倒くせえったらありゃしねえ。とにかく頼みましたよ。申し込みは、ご隠居さんが書いてくれるそうですから」

「待て、待て。先のことを考えずに走りだしてしまうのが、お前さんの悪い癖だ」

徳兵衛は、万造が焦れるのを楽しむかのように、ゆっくりとお茶を飲んだ。

「このビラには、長屋に住む三人の勝ち抜き戦と書いてあり、三人の入れ替わりは自由となっている。だれかが怪我をすることもあるだろうから、四、五人は揃えないと苦しくなるな。この長屋から、だれを出す。本人が承諾しなければ、私も許可を出すことはできません」

「なるほど、そりゃそうだ」

納得している松吉の隣で万造が――。

「それじゃ、すぐに五人ばかり揃えてきますから。それでいいんですね」

「それから、一筆書いてもらいたい。まず考えられないことだが、もしもだ、もしお前さんたちが優勝して賞金の十両が入った暁には、まずは私のところに持ってくること」

「なんですか、そりゃ」

「なんですかって、お前さんたちが溜めた店賃を清算させてもらうんだよ」

二人はずっこけた。

「そりゃ、あんまり因業じゃねえか。それに、おれたちゃ一筆書こうにも字が書けねえ」

「いやなら許可はしないよ」

「わかりましたよ。まったく人の皮を被った鬼だね」

長屋の対抗意識には根深いものがあった。長屋に住む連中は「長屋」をひとつの家族としてとらえている。そこに見栄っ張りな江戸っ子気質が注入されると厄介なことになる。花見には酒や料理を用意して長屋一同で繰り出し、ドンチャン騒ぎ。

年末には餅屋を呼んで派手に餅をつく。もちろんすべてが借金、または大家持ちである。勝手に見栄を張るだけならまだよいが、他の長屋を罵るので質が悪い。

《それに比べて、おけら長屋の花見はみすぼらしいねえ。ゴザだけ敷いて、あれじゃ乞食だぜ。ああ、みっともねえ》

《正月に餅も食えねえ貧乏長屋にゃなりたくねえなあ》

たかが花見や餅つきでこの有り様なのだから『長屋対抗相撲大会』となったら、血湧き肉躍ること間違いない。

本物の相撲は年に二回の十日興行で開催され、「勧進相撲」と呼ばれる。財政難で社寺を支援することが困難となった幕府が勧進のための相撲興行を認めたからだ。相撲は歌舞伎と並ぶ庶民の娯楽の代表である。回向院で開かれる勧進相撲を観戦する客席は壮絶な状態となった。野次が飛び交い、喧嘩がはじまり、ついには集団での大乱闘へと発展する。取り組みに興奮しただけではない。多くの観客が勝敗で賭けをしていたのが原因だ。

他人が取る相撲でこれだけ大騒ぎになるのだから、自分たちが、となればどれほど激高するか想像もつかない。

万造は、さっそく人選に入った。

「まず、言い出しっぺとして、おれと松ちゃんが出ねえってわけにはいかねえ」

松吉は咳き込んで、口に入れた酒を吐き出しそうになった。

「な、なんで、おれが言い出しっぺの中にへえってんだよ。言い出したのは、おめえ一人じゃねえか」

「この期に及んで細けえことを言うんじゃねえ。とりあえず、あと三人は集めねえとな」

「だから、おれはへえってねえって言ってんだろ」

「久蔵じゃ話にならねえ。あんな痩せっぽちじゃ子供にも勝てねえからな」

「おい、万造。てめえ、人の話を聞いてんのか」

「魚屋の辰次は背が低いし、八百屋の金太は名代の馬鹿だ。やっぱり職人じゃねえと無理だな」

松吉はもう観念したようだ。

「となると……、左官の八五郎さん、たが屋の佐平さん、畳職人の喜四郎さんってとこか」

「鉄斎の旦那が出てくれりゃ百人力なんだが、出場できるのは町人だけらしい。武士が町人に負けたら切腹もんだからな。とにかく、その三人を説得するしかねえ」

万造と松吉は、八五郎、佐平、喜四郎の三人を近所の酒場に呼び出した。万造は三人の前にビラを滑らせる。

「みなみな様におかれましては、無筆、無学ということで、何のことやらわからねえと思いますので、あたくしから説明させていただきます」

三人は意味もわからず、きょとんとして万造の話を聞いている。

「えー、この度、両国尾上町にある料亭、花月の主人が……」

『長屋対抗相撲大会』について説明をはじめた。あらかたの話を聞き終えた八五郎がメザシを齧りながら――。

「それで、その相撲大会に出ようってえのかい。よしときなよ。怪我でもしたら、おまんまの食い上げだ」

「だがよ、優勝したら、十両ってえのは魅力じゃねえか」

たが屋の佐平が応じる。八五郎が四十一歳で、佐平が四十歳。万造たちよりも一回り以上も年上だから、高圧的には出られない。そのあたりはちゃんと計算尽だ。万造より少し年上の喜四郎も話に割って入る。

「八五郎さんと、佐平さんが出りゃ、おもしれえけどなあ。八五郎さんは体格がいいし、腕っ節もつええ。佐平さんにゃ江戸っ子の気迫ってもんがある。あっしはいけると思いますがねえ」

褒められた二人は悪い気がしない。日頃から「わけえもんにはまだ負けねえ」「今のわけえ野郎どもは情けねえ」などと、あちこちで放言しているからだ。八五郎は読めもしないビラを眺めている。

「ところで、万造よ。この三人を集めてビラを見せるってことは、おれたちをけしかけようって魂胆だな。おめえたちの考えそうなこった」

万造は首を振った。

「とんでもねえ、それは違うんで。なあ、松ちゃん」

松吉は大きく頷く。

「この長屋で、八五郎さんや佐平さんを差し置いて、おれたちがそんなこと言い出せるわけがねえでしょう」

「いつも差し置いて騒動を起こしているじゃねえか」

「面目ねえ。だけど今度は、この長屋の名誉がかかってるんで。なあ、どうするよ、松ちゃん……」

「万ちゃん、お前が言えよ」

「だって、松ちゃんが八五郎さんに言うってえからよ」

「うーん、でもよ……」

二人の態度を見ている八五郎が焦れてくる。

「なんだ、おめえたち。はじめての女郎買いみてえな面しやがって。はっきりしやがれ」

万造の口元が少し緩んだのを、松吉は見逃さなかった。

「そ、それじゃ言いますけどね。途中で怒らねえでくださいよ。べつに、あっしたちが言ったわけじゃねえんで……」

八五郎は無理矢理に自分を落ち着かせようとした。

「昨日の夕方、松吉と二人で清水(しみず)町にある湯屋に行きましてね。ほら、夕暮れの湯屋なんて薄ぐれえから人様の顔なんてわからねえでしょ。そしたら湯殿の奥から聞き覚えのあるダミ声が耳にへえってきましてね。松倉町(まつくらちょう)の左官、為三郎(ためさぶろう)ですよ」

「なに、為の野郎だと」

想定通りに八五郎が食いついてきた。松倉町の万年(まんねん)長屋に住む左官の為三郎と八五郎は犬猿(けんえん)の仲だ。昨年の花見でも些細(ささい)なことから取っ組み合いを演じている。

「あっしたちがいるって知らねえから、奴(やっこ)さん、そりゃもう言いたい放題で」

万造は悔しそうに空間を見つめた。

《賞金の十両は、おれたち万年長屋でいただきだな。だが油断は禁物だ。緑町のだるま長屋にゃ血気(けっき)盛んなわけえやつらが大勢いる。それに石原町の千寿(せんじゅ)長屋、菊川(きくかわ)町(ちょう)の甘酒(あまざけ)長屋。強敵はいくらでもいるからよ。明日にゃ出場者を決めて稽古に入らねえとなるめえ。えっ、亀沢町(かめざわちょう)のおけら長屋だと。笑わせるねえ。おけら長屋の連中は、女郎と布団(ふとん)の上で、腰を振りながら花相撲を取るのがお似合いだ。八五郎だと。冗談言うねえ。あの野郎は去年の花見のときに、さんざっぱら痛めつけてやった。最後は土下座をしておれに謝ったっけかなあ。八五郎なんざ小指だよ。おれの小指一本で充分だぜ》

　八五郎の顔は、みるみる赤く染まっていく。ここが攻めどきと判断した松吉が追い討ちをかける。

《左官の仲間たちも笑ってたっけなあ。八五郎は相手を見る男だからよ。てめえより弱いやつには威張り散らすが、おれの前じゃ借りてきた猫みてえにおとなしくなる。器が小せえんだよ。あんな野郎におれたちと相撲を取る度胸なんざ、あるわけがねえ》

　万造と松吉は半纏の袖で目頭を擦る。

「あっしたちは、もう悔しくってねえ。なあ、松ちゃん……」

　松吉は唇を嚙みしめたが、見ようによっては笑いを堪えているようでもある。八五郎の顔面はすでに般若の域に達していた。

「おう、万松。てめえたちは、その場からノコノコけえってきやがったのか。それでもおけら長屋の住人か。おれがいたら、為の野郎を張り倒してやるところだ。さんざっぱら痛めつけただと。べらぼーめ。話が逆じゃねえか。畜生、為の野郎、今度見かけたらタダじゃおかねえ」

万造が絶妙な見計らいで——。

「申し訳ねえ。でもね、あっしと松吉も考えたんでさあ。こんなことで為三郎とやり合っても、結局は、言った言わねえの堂々巡りじゃねえかって。野郎の鼻を根元から叩き折るにゃ、相撲大会に出て、おけら長屋が優勝するしかねえ。そう思ったんでさあ」

「そうなんで。八五郎さんなら、やってくれるんじゃねえかって。その前におれたちが騒ぎを起こしちゃならねえって」

二人に踊らされているのは八五郎だけではない。佐平と喜四郎も同じだ。

「八五郎、ここはひとつ、男を見せるしかねえな」

「そうですよ、八五郎さん。及ばずながら、あっしも力を貸しますぜ」

八五郎は一気に酒をあおった。

「よーし、やってやろうじゃねえか。おう、万松。出場の手はずは、おめえたちに任せておけばいいんだな」

こうなると話は早い。相手が勝手に進めてくれる。

「へえ。出場が決まれば、大家さんに許可をもらい、与兵衛さんが申し込んでくれる手はずになってますんで」

「出るのは、この五人でいいのか」

松吉が説明に入る。この手の役目は万造が不得意とするところだ。

「ひとつの対戦で相撲を取るのは三人です。だれが出るかは登録しておいた人の中から自由に決められます。えーと、対戦の前に三人の出場者と出場順を提出するそうです。実際に相撲を取るのはこの五人としても、登録人数に制限はないようですから、とりあえず大家さん、隠居の与兵衛さん、鉄斎の旦那を除いて、長屋に住む男全員は登録しておこうと思います。何が起こるか、わかりませんからね」

異論はないようだ。頷きながら話を聞いていた佐平が質問する。

「三人が戦うってえのは、勝ち抜き戦じゃねえんだな。一人一番取って、先に二勝した方が勝ちってことかよ」

「その通りです。『先鋒』『中堅』『大将』がそれぞれ戦います」

「そうか。それじゃよ、対戦相手によっちゃ、だれをどういう順番で出すかが鍵になるかもしれねえな」

「さすが佐平さんだ。相手に一人、恐ろしくつええ野郎がいるときにゃ、その野郎と八五郎さんがあたるのはもったいねえ。おれか万ちゃんが出て、負けたっていいんですよ。あとの二つで確実に勝てばいいんですから。まあ、このへんは運ですがね」

聞き役に回っていた八五郎が帳場に向かって手を叩く。

「そうと決まったら前祝いだ。おーい、酒だ。どんどん持ってきてくれ」

万造と松吉には、まだ仕事が残されている。

「それから、町で為三郎と鉢合わせしても、揉め事は起こさねえでください。不祥事を起こすと相撲大会に出場できなくなります」

「わかった。無視してりゃいいんだろ。決着は土俵の上でつけてやらあ」

これで湯屋での作り話がバレることはなくなった。

「それから、もうひとつ……」

「なんでえ、まだあるのか」

「へえ。八五郎さんをはじめ、佐平さん、喜四郎さんが、この『長屋対抗相撲大会』に出場するのは、つまり男の意地、度胸、気風ってことだとお察しいたしますが……」

「当たりめえだろ。それ以外に何があるっていうんでえ」

「いや、その、後で揉めるのも野暮ですから、最初にはっきりしておこうかと思いましてね。優勝したときの十両ですが……」

ここで松吉が絶妙の間で口をはさむ。

「よしなよ、万ちゃん。八五郎さんたちは金のために出場するんじゃねえ。そんな小さな男じゃねえんだよ、八五郎さんは。おけら長屋の名を天下に轟かせようって、立ち上がってくれたんだ。ここで金の話なんかしたら興醒めじゃねえか。八五郎さんは、そんなにセコイ男じゃねえぞ」

　いきなり手をついて、ひれ伏す万造。

「すまねえ。おれは何てみみっちい男なんだ。賞金が手にへえったら、溜めた店賃が払える、酒が呑める、吉原に繰り出せる……、そんなことばかり考えてよ。ああ、自分が情けねえ」

　松吉もしみじみと語る。

「まったくだ。おれも万ちゃんと同じ穴のムジナだからよ。八五郎さんたちみてえな粋でイナセな男になるにゃ、まだ時間がかかるってこった。きっと八五郎さんはこう言うぜ。『おれたちの目的は男を上げることだ。金なんて不浄なもんは、てめえたちにくれてやらあ』って。ねえ、八五郎さん」

　八五郎は絶句するが、万造と松吉に尊敬の眼差しを向けられると――。

「あ、当たりめえだ。そ、そんなもんは、て、てめえたちにくれてやらあ。なあ、佐平、喜四郎」

　これが本当の「人の褌で相撲を取る」である。無茶振りされた二人も、こうなったら同意するしかない。計ったように酒が運ばれてきた。手際よく酒を注ぐ万松の二人。

「それでは、話がまとまったところで、固めの盃（さかずき）とまいりましょう。乾杯の音頭（おんど）は、おけら長屋相撲組総大将、八五郎さんにお頼みいたします」

盃を上げた八五郎の威勢は、なぜか半減していた。

おけら長屋に住む、表具師の卯之吉（うのきち）一家では由々（ゆゆ）しき事態が発生していた。女房のお千代（ちよ）と、娘のお梅（うめ）を前にして腕組みをする卯之吉。しばらくは声も出せない状況が続いている。煙管（キセル）をくわえては煙を出す。その繰り返しだ。

「つまりは、湯の子ってことか」

お千代とお梅は何も答えない。十七歳になるお梅は背中を丸くして涙を拭（ぬぐ）っているだけだ。

「お前、今まで気づかなかったのか。それでも母親か」

お千代は畳にうつ伏せて号泣（ごうきゅう）する。四畳半しかない空間に、しばらくその泣き声が響いていた。

「すまねえ。お千代を責めても仕方ねえ。こんなときこそ冷静にならねえとな。お梅、本当に相手はだれだかわからねえんだな」

お梅は小さく頷いた。

江戸の湯屋は混浴だ。男女が裸になるわけだから、女が襲われることも少なくなかった。それが原因で生まれた子は「湯の子」と呼ばれ、養育が不可能な場合は長屋全体で育てることもあった。そんなわけで、幕府は後に湯屋での混浴を禁止している。

お梅は、湯屋でたまたま一人になったところを、見知らぬ男に襲われた。十七歳の娘がそんなことを言い出せるわけもなく、時間だけが過ぎていく。自然の法則によって腹がせり出してきて、やっと母親が気づいてくれた。お梅は少しだけ心の荷物が軽くなったような気がした。

卯之吉は父親として、この現実をどうやって受け止めるか苦悶（くもん）していた。ただ決まっていることはある。娘を守ってやらなければならない。

母親であるお千代の気持ちは、もっと複雑だ。お梅が、同じ長屋に住む久蔵に恋心を抱いていることに気づいていたからだ。久蔵への想いが成就（じょうじゅ）できたかは別として、お梅の気持ちを察するといたたまれなくなる。十七歳にして見知らぬ男の、子を身籠（みご）もったとなれば、恋どころか、嫁に行くことさえ難しい。

「お梅、しんぺえするな。おとっつぁんと、おっかさんがついてる。安心してお腹（なか）の子を産みな。大丈夫だ。そう悪いことばかりは続かねえ。お天道様（てんとうさま）に恥ずかしくねえ生き方をしてりゃあな。なあ、お千代」

お千代は卯之吉の女房になってよかったと心の底から思った。

「お梅。お前は身体を大事にしなきゃならねえぞ。なんたって、お前のお腹の中にいるのは、おれたちの大切な初孫だからな。さてと、とりあえずは大家さんに話しとかにゃなるめえ」

「お、お前さん、長屋のみんなに知れたら、お梅がかわいそうじゃありませんか」

「馬鹿野郎。母親がそんな気持ちでいてどうする。これから、お梅にはつれえことが何度も起きるんでえ。つええ気持ちを持たねえと生きちゃいけねえんだ。それには、まず親がしっかりしなきゃならねえ。どっちみち世間様には知れることだ。お梅は何も悪いことはしちゃいねえ。こそこそする必要はねえんだ。堂々としていろ。それにこれからは長屋のみんなにも、いろいろと世話になるかもしれねえからな。筋だけは通しておかなきゃならねえんだよ」

お千代は涙を拭うと立ち上がる。

「そうだね。お前さんの言う通りだよ。それじゃ、景気づけに一本つけようか」

「おっ、いいねえ。お梅の腹にいる子は天から授かったと思えばいい。天の子だぞ。めでてえじゃねえか。こいつぁ、めでてえことなんだ」

数日後、大家から招集がかかった。おけら長屋に住む全員ではないが、家にいた者は大家宅に集まった。

当然のごとく、万造と松吉は『長屋対抗相撲大会』の発表だと思い込んでいる。徳兵衛の許可を得て、与兵衛に書いてもらった申込書はすでに提出済みだ。

「大家さん、すいませんねえ。みなさんを集めていただきまして。そりゃ、そうだよなあ。おけら長屋の応援団を結成するには、揃いの半被(はっぴ)に鉢巻、太鼓なんかの鳴り物も要るしねえ。弁当だ、祝賀会だって、相談することは山のようにありますからねえ……」

徳兵衛の反応は冷たい。

「起きてて寝言を言うな。だれが、そんなもののために人を集めるか。今日は長屋のみんなに聞いてもらいたい話がある。最初にことわっておくが、万造に松吉。冗談が通じる話じゃないから、途中で茶々を入れるな。いいな」

いつにない殺気立った徳兵衛の様子に、一同は少しばかり身構えた。

「実は卯之吉さんのところの、お梅ちゃんのことだ――」

徳兵衛が語った内容は衝撃的だった。湯の子の話は耳にしたことはあるが、まさか自分の長屋で起こるとは。確かに冗談の言える雰囲気ではない。

「――というわけだ」

おかみさん連中の中には涙ぐんでる者もいる。さっそくいきり立ったのは万松の二人だ。

「畜生、何てことしやがる。その野郎を捜し出して、ぶちのめしてくれる。許さねえ」

「おうよ。お梅ちゃんといやあ、あっしらの妹も同然だ。ただじゃおかねえ。きっちり落とし前をつけさせようじゃねえか」

　徳兵衛は溜息(ためいき)をつく。

「だから、お前たちに話すのは嫌だったんだ。仮にその相手を見つけたところで、お梅ちゃんが幸せになれるのか。責任をとらせて所帯を持ったところで、そんな男だ。先は見えているだろう」

「だったら、どうすりゃいいんでえ」

「私が、お前たちに頼みたいことは、何もするなということだ。お前たちが勝手に動くとロクなことがない。わかったか」

　島田鉄斎が右手で徳兵衛を制した。

「まあまあ、大家さん。そんな頭ごなしに言わなくても。この二人に悪気はないんだ。それは、みんなもわかっているよ。大家さんが言いたいのは、こういうことだ。お梅ちゃんを変な目で見ないでほしい。おけら長屋のみんなは家族同然なんだから、温かい目で見守ってほしい……。違いますかな、徳兵衛さん」

　徳兵衛は鉄斎に一礼した。

長屋の連中が引き揚げた後、徳兵衛と鉄斎がお茶を飲んでいると、万造がその間に割って入った。

「大家さん、相撲大会のことも、みんなに話してくれよ。どこだって長屋ぐるみで応援するってことだし、万年長屋のやつらは、幟（のぼり）までこしらえたって噂（うわさ）ですよ。何にもねえんじゃ格好がつかねえや」

「馬鹿を言うな。だれがお前たちに『相撲大会に出てください』と頼んだ。お前たちが勝手に決めたことじゃないか。そんな金があったら、お梅ちゃんのために使うわい」

お梅の名を出されると、何も言い返せない。徳兵衛は鉄斎に小声で話しかけた。

「私は、お梅ちゃんが不憫（ふびん）でねえ。お千代さんがちょいと洩（も）らしたんですが、なんでも、お梅ちゃんは久蔵を好いていたそうですよ。それが、こんなことになるなんて。この世にゃ神も仏もいないんですかねえ」

万造の耳が微妙に動いた。

「さあ、用が済んだら帰っておくれ。お前たちの遊びに付き合っている暇はないからね」

万造と松吉が出ていった後、鉄斎はぬるくなったお茶をすすりながら微笑（ほほえ）んだ。

「どうやら、徳兵衛さんの声は届いたようですな」

久蔵は「丑三つの風五郎事件」の後、平凡な日々を送っていた。お染に対する熱もかなり冷めてきたようで、やはりあれは一時の気の病だと思える。お染が言うように時間がたてば少し気恥ずかしい思い出になっているのだろう。

仕事で帰りが遅くなった久蔵が、自宅の前にさしかかると、背中に声が飛んでくる。

「おう、久ちゃん、ちょいと上がっていきな」

振り向くと、万造の家の引き戸が半分開いている。久蔵を釣り上げようと網を張っていたのは明らかだ。その理由も察しがつく。案の定、松吉も一緒に酒を呑んでいた。久蔵は挨拶もそこそこに座敷に上がり込むと、酒を一杯受けた。盃を置くと毅然とした口調で――。

「私は出ませんからね」

「おめえ、何を言ってるんだ」

「だから、相撲大会には出ないと言ってるんです」

万松の二人は吹き出した。

「あはははは。なに勘違いしてやがる」

「私は、てっきり相撲大会の話かと……」

「おめえに頼むくれえなら、まだ大家や隠居のほうがマシでえ」

「それじゃ、何の用です」

「だれが、用があると言った。同じ長屋に住んでいるよしみで、たまには酒でもと思って声をかけたんじゃねえか」

「その手には乗りませんよ。この形は三度目です。確か一度目は『お前も一緒に店賃を滞納しろ』で、二度目は『吉原の遊郭(ゆうかく)に行って掛けを払ってきてくれ。足りない分は交渉してこい』です。今度は何ですか」

　万造は自分の後頭部を軽く撫(な)でた。

「よく覚えていやがるな。そうまで言うなら、前置きは必要ねえ。久蔵、おめえ、お梅ちゃんと所帯を持て」

「えっ、何ですって」

「だから、お梅ちゃんと所帯を持って、幸せに暮らせと言ってるんでえ」

「ちょ、ちょっと待ってください。お梅ちゃんって、卯之吉さんのところのお梅ちゃんですか」

「他にも、お梅ちゃんてえのがいるなら教えてくれ」

「いや、他には知りませんけど」

「なら、そのお梅ちゃんしかいねえだろ」

「な、なんで私が、お梅ちゃんと所帯を持たなきゃいけないんですか」

「それはな、語るも切ない人情噺だ。おい、松ちゃん、おめえから話してやれ」

いきなりの振りに酒を吹き出す松吉。

「お、おれが話すのかよ。まあ、万ちゃんが話すよりはわかりやすいと思うけどよ」

松吉は大家から聞いた話を冷静に語った。久蔵も衝撃を受けたようだ。

「そんなことがあったんですか……。あの、お梅ちゃんが……。でも、なんで私が、そのお梅ちゃんと……」

「それだ」

万造は膝頭を手のひらで叩いた。

「大家さんの話によると、お梅ちゃんは、おめえを好いていたそうだ。たいした色男じゃねえか。え、久蔵さんよ」

万造に任せると逆効果だ。仕方なく、松吉が口をはさむ。

「なあ、久蔵。湯の子ってえのは長屋全体の問題だ。つまり被害に遭ったのは、お梅ちゃん一人じゃねえ。この長屋全員ってことなんだ。このままじゃ、お梅ちゃんがあんまりかわいそすぎら。卯之吉さんや、お千代さんだって見るに忍びねえ。かわいい一人娘が湯の子を身籠もっちまったんだぞ。幸せになってほしいと願っていた一人娘がだ。おれは悔しい。もし、お梅ちゃんが好いていたのが、久蔵じゃなくて、おれだったらなあ……。おれだったら、すぐにお梅ちゃんと所帯を持つ。それが男ってもんだろう。そうすりゃ、すべてが丸く収まるんでえ。なあ、万ちゃん」

「おうさ。お梅ちゃんは、ひでえ目に遭って、その上、父親のわからねえ子を宿しちまった。これから腹だってせり出してくるんだ。その姿を同じ長屋に住んでる好いた男に、さらさなきゃならねえ。こいつぁつれえぜ。久蔵、おめえさえ首を縦に振ってくれりゃ、お梅ちゃんの心の傷だって癒えるんでえ。卯之吉さんや、お千代さんだって、お梅ちゃんの将来がしんぺえだろうよ。湯の子がいるんじゃ嫁にも行けねえ。おめえが所帯を持つと言ってくれりゃ、安心して死ねるってもんだ」

「えっ、卯之吉さんは、もう長くはないんですか」

「馬鹿野郎。もののたとえだ。お梅ちゃんといやあ、おれたちの妹も同然だ。だからこうして、おめえに頭を下げて頼んでいるんでえ」

「ぜんぜん下げてないですよ。どうみたって命令じゃないですか。犬の子をもらうようなわけにはいきません」

万造のこめかみに青筋が浮き上がってきた。

「おとなしくしてりゃ調子に乗りやがって。おう、久蔵。おめえは、てめえのことしか考えねえのか。お梅ちゃんのどこに不服があるってんだ。器量はいいし、気立ても申し分ねえ。たかだか腹に子がいるだけじゃねえか」

松吉が両手で万造をなだめる。

「よしなよ、万ちゃん。そんな言い方は。なあ、久ちゃん、確かに湯の子がいるってえのは小さなことじゃねえ。だれだって足踏みすらあ。でもよ、それは一時のことだと思うぜ。嫌なことを思い出させて悪いが、お染さんのことだってそうじゃねえか。今思えば風邪みてえなもんだろ。それと同じだ。だれがみたって、久蔵にゃ、お染さんよりも、お梅ちゃんの方がお似合いでえ。一緒に暮らせば情だって湧いてくる。お梅ちゃんだって、おめえに感謝して尽くしてくれると思うぜ。それとも何かい、おめえは、お梅ちゃんのことが嫌いだったのか」

松吉の言葉が少し心に響いた。確かに、お梅は、器量、気立て、ともに申し分ない娘だ。井戸端で出くわすと、胸が高鳴ることもあった。そのお梅が自分を好いてくれていたとしたら——万造と松吉の話なので真に受けるのは危険だが——それは素直に嬉しい。自分がお梅と所帯を持てば、すべてが丸く収まる理屈も理解できる。だが自分の気持ちはどうなる。父親のわからぬ子に愛情を注ぐことができるのか。お梅との間に子供ができたら、同じ愛情を注ぐことができるのか……。

それにしても滑稽な二人だ。お梅の気持ちも確かめずにこうして話しているのだろう。お梅のことを心の底から心配しているのだ。その気持ちに応えてやりたいとも思う。

長屋って何だ。おけら長屋での生活は、お店での住み込みとはまるで違う。立場の異なる庶民たちが、干渉し合い、助け合い、一緒に泣いて、そして笑う。そのためにはだれかが我慢し、折れることも必要なのだろう。今は自分にその番がまわってきているのかもしれない。次にはだれかが自分のために我慢し、折れてくれる日がくる。それが長屋の生活なのだ。

それはわかっていても、この二人の計略にみすみすはまるのは、何ともシャクだ。

「わかりました。本当にお梅ちゃんが望むのであれば、それに、卯之吉さんと、お千代さんにも許していただけるのなら、お梅ちゃんと所帯を持ちます」

「よく言った。さすがは久蔵。男の中の男だ」

「ですが、ひとつだけ条件があります」

「てめえ、この期に及んで持参金が、とか抜かしやがるのか。この業突く張り（ごうつくばり）が」

「違いますよ。『長屋対抗相撲大会』で優勝してください。それが条件です」

万造と松吉は顔を見合わせた。

「さあ、どうするんですか。答えてください」

万造は両手で自分の頬をぴしゃりと叩いた。

「よーし、話は決まったぜ。優勝賞金の十両は、そっくりそのまま婚礼の祝儀(しゅうぎ)としてくれてやらあ」

万造は盃の酒を空(から)にすると、その盃を久蔵に渡す。そこになみなみと注がれた酒を、久蔵は一気に呑み干した。

長屋内での情報は矢の如しだ。二日もあれば隅々にまで行き渡る。

島田鉄斎は、大家宅で、徳兵衛と茶を飲んでいた。

「しかし、ここまで島田さんの言う通りになるとは……」

「あの二人の考えることは、予想できますからな。いや、私の想像以上に、あの二人は頑張ってくれました。見事なもんですよ。久蔵さんが、相撲大会の優勝を条件に出すとは思いませんでしたが」

「まったくです。久蔵のやつ、余計なことを……」

「徳兵衛さん、本当にそう思いますか。私は久蔵さんの、お手柄だと思いますよ」

「ほう、それはまたどうして」

「相撲大会は、あの二人と八五郎さんたちが勝手に盛り上がっているだけでした。他の長屋の連中は無関心だったでしょう。ところが、その結果に、お梅ちゃんの幸せが左右されるとあっちゃ、応援しないわけにはいかなくなります。つまり、おけら長屋に住む人たちの絆が深まるということですよ」

「深まりすぎるのも困りますがな……」

徳兵衛は苦笑したが、まんざらでもない様子だ。

「それより、徳兵衛さん、お梅ちゃんの気持ちは確かめましたか。お梅ちゃんに『久蔵さんとは一緒になりたくない』と言われれば、それまでですから。引け目を感じながら暮らすのは辛いでしょうから」

「島田さん、それはそれでいいじゃありませんか。流れに任せましょう。男と女なんて、自然と自分に合った鞘に収まるもんですから」

女たちは井戸端に集っている。

「大変なことになったよ。もし優勝できなかったら、この長屋じゃ暮らしていけないからね。せいぜい精のつくものを食べさせないと」

八五郎の女房、お里は興奮気味だ。それは佐平の女房、お咲も、喜四郎の女房、お奈津も同じだ。

「そうだね。なんたって、お梅ちゃんの幸せがかかってるんだから」

「亭主にはね、もし負けたら離縁だって脅かしてやりましたよ」

お染も他人事ではない様子だ。

「稽古は、どこでするんだろうね。あたしも握り飯やお茶を差し入れするよ。酒ってわけにもいかないだろうから」

八五郎と佐平は帰り道で、偶然に出会う。

「万松のやつら、余計なことをしやがって」

「しかし、こうなったからには、もう後には引けねえ」

「おおよ。賞金だ、為三郎だってケチな話じゃねえ。わけえもんの人生が決まるんだ。喜四郎はともかく、万造や松吉なんてえのはあてにならねえ。おれと佐平の二人が踏ん張らねえと、次へは進めねえからな」

「合点承知の助でえ。だがよ、おれは、お梅ちゃんのために勝ちてえんじゃねえ。お梅ちゃんのために勝てる男になりてえんだ」

「馬鹿野郎、同じじゃねえか」

おけら長屋では卯之吉と、お千代が、しみじみと語り合っていた。

「この長屋の連中は、よほどのお節介やきらしいな」

「でも、ありがたいじゃありませんか」

「ああ。だが相撲大会で優勝できなかったらどうする。言っちゃ悪いが、あの連中が優勝できるとはとても思えん。余計に、お梅が傷つくだけじゃないのか」

「大家さんは、こう言ってましたよ。久蔵さんは、お梅と所帯を持つ決心をしたから、あんなことを言ったんだって。お梅に対する同情や哀れみからじゃない。天から授けられた運命だから決心したんだって。だから本当は相撲大会の結果なんて関係ない。お梅のことを長屋のみんなで考えたかったから……、相撲で優勝して……、みんなに祝ってほしいから……」

　最後は涙声になって、よく聞き取れなかったが、卯之吉には、お千代の気持ちが手に取るように理解できた。


　長屋の裏手にある香取神社の境内で、相撲の稽古がはじまった。汗で肌を光らせて、仁王立ちになった八五郎の叱責が飛ぶ。

「てめえら、情けねえぞ。万造、さあ立て。一度でもいいから、おれを投げてみろ。松吉、てめえは、また二日酔いか。汗をかけば酒なんか抜けちまわあ。久蔵に偉そうなことを言いやがったくせに、その様は何だ。気合いを入れろ、気合いを」

　万松の二人は赤子のように這い這いをして、土俵から逃れようとするが、佐平と喜四郎にふんどしをつかまれて、引き戻される。

「もう勘弁してくれよ。出るのは三人だろ。おれたちは一生懸命に応援するからよ」

「何が起こるかわからねえから、五人揃えなきゃと言ったのはどこのどいつだ。さあ、とっとと起きやがれ」

笑い声がして、一人の男が木陰から登場する。島田鉄斎だ。

「あっはっは。精が出るな」

八五郎は軽く会釈をして、額に手をあてた。

「みっともないところをお見せして申し訳ねえ。まったく、こいつらときたら、やる気があるんだか、ねえんだか」

鉄斎は、円を描いただけの土俵の近くにある石に腰を下ろした。

「少し休憩したらどうかな。私だってこの長屋の一員だ。お節介かもしれんが、私の戯言を聞いてみる気はないか。稽古ばかりが強くなる方法ではないと思うがな」

鉄斎が武芸の達人であることは周知の事実で、剣術道場の師範よりも強いという噂だ。剣術も相撲も戦うことは同じ。参考になることも多いはずだ。八五郎は、みんなを集めると、鉄斎を囲んで車座になった。

「島田さんが協力してくれるなら百人力だ。なにせ、こっちは素人の集まりだから、どうすればいいのかさっぱりわからねえ」

腕組みをした鉄斎は語りだした。

「まずは、自分に合った形を作ることだ。人はそれぞれに体格、腕力、速さなどが違う。それを考えず、藪から棒に押したり、突いたり、投げたりしても効果は期待できない。八五郎さん、あんたは身体も大きいし、力もある。だがそれに頼りすぎて、相手を強引に投げようとしている」

鉄斎は足元に転がっている、太い棒切れを拾って、八五郎の前に立てた。

「八五郎さん、この棒を倒してくれ」

八五郎は棒の上の方を、右手で払った。棒は地面に倒れる。鉄斎はその棒を、もう一度立てた。

「今度は、右手で払うのと同時に、左手で根元を逆側に払ってくれ」

言われた通りにすると、棒切れは、その場で回転するように勢いよく倒れた。

「こうすると半分ほどの力で棒が倒れる。八五郎さん、あんたの形は左四つだ。つまり右の上手と、左の下手。あんたは右手の力だけで相手を投げようとしている。左の下手をまったく使っていない。よし、土俵で佐平さんと左四つに組んでみよう」

土俵に上がった八五郎と佐平は、鉄斎の指示通りに、がっぷり四つに組み合った。

「まずは、今までと同じように右の上手だけで投げようとしてくれ。佐平さんは堪えるんだ」

佐平の身体は大きく揺れるが、投げることはできない。

「そこまで。今度は左の下手を使う。さっき左手で棒を払ったときの感覚を思い出してくれ。佐平さんが前に出てきたところを狙って、右上手で投げながら、左の下手を捻るようにするんだ。よし、やってみよう」

八五郎と佐平は、再び土俵の中央で左四つに組んだ。佐平が押し込もうとした瞬間に、佐平の身体は土俵に転がっていた。投げた八五郎の方が呆然としている。

「わかったか。八五郎さん」

「へえ。佐平をさっきの棒切れだと思って投げました。な、なるほど。そうか……」

二人は土俵から下りた。

「今、八五郎さんは二つのことを学んだ。ひとつは左の下手を使って相手を投げやすくした。もうひとつは相手が前に出てくる力を利用した。相撲は一対一の勝負だ。強引に攻めるよりも、巧みに相手の力を利用することが大切だ」

「そうか……。なるほどその通りだ。知らねえうちに佐平が倒れていたからな」

鉄斎は満足げに微笑んだ。

「八五郎さんが入念に稽古することは二つ。立ち合いでは慌てずに相手を受け止め、確実に左四つに組むこと。次は、投げを打つ頃合いを計ることだ。自分が前に出るのはまき餌だ。相手が押し返そうと出てきたところで絶妙な投げを打つ。この二つの稽古を繰り返して、自分の形を作るんだ」

八五郎の瞳は輝いている。自分なりに何かをつかんだのだろう。

「万造さんに、松吉さん。そういうことだから、八五郎さんの稽古相手になってくれよ」

万松の二人は泣きそうな顔になる。

「どうした、二人とも。お梅ちゃんのためじゃないか。さて次は、佐平さんだな。あんたは動きが速い。そこで――」

鉄斎の指導は、ことごとく理にかなっていた。

『長屋対抗相撲大会』の式次第が発表された。参加する長屋は十六組。勝ち抜き戦なので、四回勝てば優勝だ。場所は富岡八幡宮の境内にある土俵。花月の主人が多額の寄進をしたとかで、全面的な協力を得ている。

初日は午前中から取り組みがはじまり、まずは一回戦の八試合。昼食をはさんで、二回戦の四試合。そして準決勝となる三回戦が二試合。ここで決勝に進出する二つの長屋が決定する。

翌日は午後からはじまり、準決勝で敗れた二組による三位決定戦。そしていよいよ決勝戦となる。賞金は、優勝十両、二位五両、三位三両、四位一両という具合だ。対戦表を見た八五郎は拳を握りしめる。おけら長屋は、一回戦の第二試合で、為三郎の万年長屋とあたることになっていた。

空は雲ひとつなく晴れ渡り、絶好の相撲日和となった。富岡八幡宮の境内には取り組みの前から大勢の観客、応援団が押しかけていた。

一回戦の第一試合から、会場は大いに盛り上がった。応援席からは声援や罵声が飛び交い異様な雰囲気だ。取り組みも、とても相撲とはいいがたい内容で――気圧され逃げ腰になる者。どうみても酒の勢いで出てきた者。取っ組み合いの喧嘩になる者――見世物としてはかなり楽しめる。だが、土俵を見つめる鉄斎の目には余念がなかった。おけら長屋が一回戦に勝てば、次にあたる連中だ。一人一人を精察しなければならない。

そして、おけら長屋初陣のときがきた。先鋒は佐平。中堅は喜四郎。大将が八五郎である。土俵の東西に三人が入場する。万年長屋の出場者たちは奇声を発したり、両手を上げたりして声援に応えるが、おけら長屋の三人は泰然としている。女たちは不安を隠せない。

「ちょいと、島田の旦那。大丈夫なんですか。元気ないみたいですけど……」

「そうですよ。あっちはあんなに気炎を揚げているのにさ」

鉄斎は土俵から視線を外さずに答えた。

「心配するな。三人とも落ち着いている。相手の連中は空元気だよ」

応援席に陣取る徳兵衛が注目したのは、万造と松吉である。下品な罵詈雑言を浴びせ続けると思いきや、腕を組んで静かに土俵を見つめている。顔や腕には、痣や傷がいくつもついていた。試合にこそ出場しないが、この二人も一緒に戦っているのだ。そして振り返る徳兵衛。応援席を見回したが、そこに久蔵とお梅の姿はなかった。

呼び出しに名を呼ばれ、佐平が立ち上がる。一度、鉄斎と視線を合わせて小さく頷いた。

土俵に立つと、相手の体格は佐平よりひと回り大きい。さかんに両手を広げたり、胸を張ったりして自分の大きさを誇張するが、佐平は目を合わせようとせずに淡々と仕切りを続けていた。そして時間いっぱい――。

腰を割って両手をつき、行司の軍配が返った。立ち上がったとき、佐平は相手の目の前で両手を打ち合わせた。相手が驚いて目をつぶった瞬間に懐の中へと潜り込み、左のまわしに食らいついた。人間は横からの押しに弱い。佐平はそのまま相手を土俵の外へと押し出した。おけら長屋の応援席からは歓声があがる。

「島田さん、今のは……」

「猫だましです。奇襲技ですが、反則ではありません」

中堅の喜四郎は惜しくも敗れた。離れてかき乱す作戦だったが、まわしをつかまれてしまった。こうなると線の細い喜四郎は力を発揮できない。

「八五郎さん、申し訳ねえ。おれで決めたかったんだけどよ」

「気にするねえ。実はな、喜四郎。おめえには悪いが、おれはおめえが負けてくれって祈ってたんだ。でねえと、為三郎と戦えねえからな」

名を呼ばれた八五郎は、ゆっくりと立ち上がる。会場の盛り上がりは頂点に達しようとしている。四股(しこ)を踏んだ後に、八五郎と為三郎は、土俵の仕切り線に立ち対峙(たいじ)した。鬼の形相(ぎょうそう)で睨(にら)みつける為三郎に対して、それを冷静に受け止める八五郎。

「よし。美しい自然体だ。八五郎さんの心には邪念がない」

徳兵衛も納得する。

「島田さんは、あの連中に何を教えたのですか」

「何も教えていません。無心になって厳しい稽古をしただけです。それは万造さんや松吉さんの顔や身体を見てもわかるでしょう。八五郎さんの心に邪念がなくなったのは、あの二人のおかげかもしれません」

最後の仕切りに入り、手をつくと、場内は水を打ったような静けさを迎える。斜に構えた行司が軍配を返した。為三郎の右手が動く、張り手だ。八五郎はそれをすんでのところでかわすと、ガラ空きになった為三郎の右脇に左下手を差し入れ、まわしをつかまえる。諸差しを恐れた為三郎は左手で下手を取りにくる。こうして二人は、お互いに上手を取り合い、左四つの形になった。がっぷり四つに組んだものだから、すぐに決着はつかない。土俵の真ん中で動かなくなった二人に群衆から歓声が飛ぶ。その声は土俵に向かって波のように押し寄せている。押し合いが続いたが、少しずつ八五郎が前に出る。

「もう、二人の腕は棒のようになっているはずです。ですが、八五郎さんは稽古を積んでいますからね。大丈夫ですよ」

為三郎の踵が俵にかかった。八五郎は両手のまわしを引きつけながら、身体を密着させる。為三郎は海老反りになりながらも必死に堪える。鉄斎は自分の膝をピシャリと打った。

「そこだ」

八五郎は左下手を捻りながら、身体を左に回転させ、右の上手投げを打った。為三郎は土俵の真ん中にもんどりうって転がった。

おけら長屋の応援団は狂喜乱舞だ。八五郎の女房、お里は、鉄斎の背中に抱きついている。

「やりましたよ、島田の旦那。うちの人がやったんです。見たでしょ。見たでしょ」

今度は、そのお里の背中に、お咲や、お奈津や、お染が重なる。

「やったー。やったよー。おけら長屋が勝ったんだあー」

万造と松吉は、無言で手を握り合った。

おかみさん連中がこしらえた弁当で昼食を済ませた後も、おけら長屋の三人は快進撃を続けた。二回戦、そして準決勝も勝って、明日の決勝戦進出が決定した。

その日の夕刻、おけら長屋の連中は、近所の番小屋に集まった。すでに五両の賞金が入ることは決まっている。あとは、それが十両になるかだ。女たちは腕によりをかけた料理を持ち寄る。大家の徳兵衛は上機嫌だ。

「さあさあ、料理や酒も揃いましたからね。八五郎さんたちには明日のために精をつけてもらわないと。酒はほどほどにしてくださいよ。二日酔いじゃ、力が出ませんからね」

八五郎、佐平、喜四郎の三人は明日の相撲があるので、呑み食いをする気分ではなかったが、長屋のみんなの厚意を無下に断るわけにもいかない。

「それにしても、すごかったたな。八五郎さんの上手投げは」

与兵衛の言葉に、女房のお里は鼻高々だ。

「当たり前じゃないの、ご隠居さん。あたしの選んだ男だからね」

八五郎が、お里に目配せをした。

「よさねえか、お里」

一度しか勝てなかった喜四郎の女房、お奈津は隅で小さくなっている。

「まだ明日があるんだ。浮かれてる場合じゃねえぞ。それに今回の相撲は、だれが勝った負けたじゃねえ。みんなで戦ってんだ。特に、万造と松吉にはありがてえと思ってるよ。さんざっぱら、おれに投げられてくれたんだからよ」

「そういえば、あの二人の姿が見えないね。それに島田さんも……」

「万造と松吉は、ひがんでるんじゃろ。今回の相撲大会は、自分たちが持ってきた話なのに、主役の座はすっかり八五郎さんたちに奪われちまったんだからね。へっへっへ」

与兵衛は意地の悪い笑い方をした。魚屋の辰次が大皿に刺身や焼き魚を盛ってやってくる。

「今日は、ご苦労様でした。おけら長屋の住人として、こんなに嬉しいことはねえや。これは、あっしの気持ちです。みなさん、食べてください」

「すまねえな。おう、佐平に喜四郎。おめえたちも今日は疲れただろ。おれもぐったりだ。手っ取り早くゴチになって、おれたちは先に引き揚げるとしよう」

万松の二人は、行きつけの酒場で鉄斎と呑んでいた。

「久蔵のやつ、応援に来ませんでしたね」

「ああ。お前さんたちに啖呵を切った手前、来づらくなったんだろう」

「気にすることじゃねえのにな」

「おうよ。それに、どうせおれたちは出てねえんだから」

「ちげえねえや」

三人は大声で笑った。

「それにしても、お前さんたちはよく頑張ったな。稽古相手がいなければ、自分の形を作ることはできん。八五郎さんたちも感謝しているはずだ」

「仕方ねえや。お梅ちゃんのためですから。なあ、松ちゃん」

「でもよ、明日、もし優勝することができたとして……。久蔵とお梅ちゃんは所帯を持つことができるのかよ。こういうのを、おれたちの一人相撲ってんじゃねえのか」

「あははは。うまいことを言うなあ。万造さん、松吉さん、結果はどうでもいいじゃないか。お前さんたち二人が、お梅ちゃんのことを思って必死になってくれた。

それだけで充分なんだよ」

　その日の真夜中——。

　引き戸を激しく叩く音に、万造は飛び起きた。江戸の住人はこんなとき、反射的に火事だと思う。心張り棒を外して戸を開くと、月明かりの中に、鉄斎と松吉の顔が浮かぶ。

「な、何ですか。こんな夜更けに。火事じゃねえんでしょ」

「食あたりだ。今日、番小屋で飯を食った全員が……」

「意地汚ねえ食い方をするからでえ。ざまあみろってんだ」

　松吉が万造の浴衣の襟をつかむ。

「馬鹿野郎。よく考えろ。全員ってことは、八五郎さん、佐平さん、喜四郎さんもだ」

「な、何だと」

　すぐ前にある便所からは、うめき声や、嘔吐する音が聞こえてくる。

「かなり重い食あたりのようだ。与兵衛さんは歩くこともできない」

「魚辰の野郎、売れ残って傷んだ魚を出しやがったな」

「そんなことを言ってる場合じゃない。二人はひとっ走りして、大工町の先生を連れてきてくれ。いいか、叩き起こしてでも連れてくるんだぞ」

万松の二人は暗闇に向かって走りだした。

夜が明けると深刻な事態が判明する。一様に病状は重く、与兵衛に至っては命にもかかわる容態だという。

「島田さん、八五郎さんたちの具合はどうですか」

「桶に顔を突っ込んだままだ。とても相撲など取れる状態じゃない」

「そんなあ……。それじゃ今日の相撲大会はどうなるんでえ」

「私が調べたところ、男で無事なのは、万造さん、松吉さん、久蔵さん、そして私の四人だけだ」

「島田さんは出れねえから、すると、おれと、松吉と、久蔵……。冗談じゃねえ。勝てるわけがねえだろ」

「でもよ、万ちゃん。ここで逃げたら、末代までの笑いもんだぜ」

「どうする、万造さん。徳兵衛さんと与兵衛さんを除いて、長屋に住む男全員を登録してあると聞いたが」

「それじゃ、こうしやしょう。おれと松吉は、やる気満々だが、久蔵が逃げちまって、二人しかいねえ。まことに残念ながら仕方なく辞退しました……。どうでえ、名案だろう」

照れ隠しに万造が笑ったとき——。

「私は逃げません。やりますよ、私は」

　振り向くと、久蔵が立っている。

「島田さん、教えてください。一発勝負で勝てる方法を。さあ、もう時間がありません」

　鉄斎は、顎を撫でながら万造に微笑みかけた。

「さて、どうしますかな。万松のお二人さん」


　今日も雲ひとつない青空がどこまでも続いている。決勝戦の相手は、栄太郎率いるだるま長屋だ。鉄斎は、先鋒が万造、中堅が松吉、そして大将が久蔵という戦陣を組んだ。先の二人が負ければ久蔵は戦わずに済む。万松の二人は、厳しい稽古によって、ある程度の相撲勘を身につけているはずだ。三位決定戦が行われている間も、四人は輪になって何やら話し合っていた。

　いよいよ決勝戦の運びとなり、三人は土俵の下に入場した。だるま長屋の大将は、雲を衝くような大男だ。元関取だったらしく、この相撲大会が決まってから、栄太郎がだるま長屋に住まわせたらしい。一勝一敗になった場合、久蔵がこの大男と戦うことになる。

　おけら長屋の応援席は寂しい。その中に三人連れの家族があった。卯之吉、お千代、お梅の三人だ。鉄斎は卯之吉一家を訪れ懇願した。

「結果はどうでもよいのだ。ただ、久蔵さんが戦うところを見てやってほしい」

その結果とは、相撲大会の優勝なのか、久蔵とお梅が所帯を持つことなのか。どう理解するかは自由だ。お梅は小さく「はい」と返事をした。

先鋒で戦うのは、万造と栄太郎である。土俵に上がった万造は、決勝戦にもかかわらず、にやけた顔をさらしている。仕切りに入ると、栄太郎とは目を合わせずに小声で喋りだした。

「栄太郎、おめえ、吉原京町にある紅和楼って遊郭の、筑波って花魁に入れ揚げてるそうじゃねえか」

塩を撒きに戻り、再び仕切りに入る。

「かわいそうになあ。おれは筑波の起請文を持ってるんだぜえ。年季が明けたら万造さんの女房になりますってよ」

「なんだと、この野郎」

その言葉を無視して、また塩を撒きに戻る万造。そしてまた仕切りに入る。

「嘘だと思ったら、今夜、筑波に会いに行ってみな。右の乳房におれの歯型が残ってらあ」

「て、てめえ」

行司の軍配が返った。鬼の形相で突っ込んでくる栄太郎。万造が体をかわすと、栄太郎はそのまま土俵の下に落ちていった。

啞然とする鉄斎。秘策があると大口を叩いていたのが、これだとは。勝ったからいいようなものの、運としかいいようがない。次の松吉にも秘策を授けてあるという。想像しただけで頭が痛くなってくるが、ともあれ、松吉が勝てば、おけら長屋が優勝するのだ。こうなったら、どんな手段でもいいから勝ってくれと祈った。

　土俵に上がった松吉は、不自然な挙動を続けている。盆踊りのように歩いたかと思えば、尻を掻いたり、鼻の穴をほじったりしている。場内からは大きな笑い声や、拍手が起きる。

「惑わされるな。あいつら三人は代役だ。相撲なんか取れやしねえ。落ち着いて相手をよく見ろ。絶対に負けることはねえ」

　その通りに、松吉はあっけなく負けた。

「松吉、てめえ、何をやってやがる」

「相手を笑わせれば勝てるって、ほざいたのは万ちゃんじゃねえか」

「笑ってんのは、相手じゃなくて。見てるやつらだろ」

すぐ後ろに陣取っていた鉄斎が——。

「よさないか。二人とも。みっともないぞ」

鉄斎は土俵の下に控える久蔵の肩を叩くと、その場から立ち去っていった。呼び出しが久蔵の名前を告げる。

「久蔵、無理をすることはねえ。あんな野郎の張り手をまともに食らったら死んじまう。自分で土俵から出ちまいな」

「そうだ、久蔵。逃げるが勝ちっていうだろ。命あっての物種（ものだね）だ。おめえが死んじまったら、お梅ちゃんの面倒はだれがみる。もう五両はあるんだ。この五両は祝儀で、おめえの香典じゃねえんだぞ」

久蔵は悠々と立ち上がる。

「約束を覚えていますか。優勝したら、お梅ちゃんと所帯を持つって言ったでしょ」

土俵に上がった二人を見て、観客はその体格の違いに驚いた。こうなると「江戸っ子の判官贔屓（はんがんびいき）」がはじまる。

「汚ねえぞ、だるま長屋。元相撲取りなんざ連れてきやがって」

「栄太郎、そこまでして勝ちてえか。てめえは江戸っ子の面汚しだ。おととい来やがれ」

「おーい、わけえの。いい度胸だ。骨は拾ってやらあ」

久蔵は観客を味方につけた。だからといって勝てるわけではない。塩を取ると、通路の隅に鉄斎が立っているのが見えた。右手は刀の柄(つか)を握っている。そして視線が合う。久蔵は香取神社で教えてもらった技を頭の中で反芻(はんすう)した。

「いいか、久蔵さん。あんたが勝つには、この方法しかない。相手の目から視線を外すな。軍配が返って立ったとき、相手の目が光るはずだ。そのときに動きが止まる。そこを逃してはならない。両手で左の足に組みつき、全体重をかけて肩で押し込む。そのときに自分の左足を相手の右足のふくらはぎに掛けるんだ。よし、私を相手にしてやってみよう」

「相手の目が光るって、どういう意味ですか」

「気にするな。お天道様が久蔵さんの味方をしてくれるってことさ。とにかく、一か八(ばち)かの作戦だ。結果は考えずに思い切っていくことだ」

お梅は手を合わせて目を閉じていた。その姿が目に入っても、久蔵の心は揺れない。今は、この勝負に勝つことがすべてだ。最後の塩を撒き、二人は仕切り線で蹲踞(そんきょ)して見合う。鉄斎は刀を三寸(すん)ほど抜いた。満座の視線が土俵に集まる中、鉄斎の行動に気づく者などいない。

「手をついて」

行司の甲高(かんだか)い声で、場内は緊張に支配される。久蔵は大男の目に神経を集中させた。軍配が返った。大男はゆっくりと立つ。細身の久蔵に対して慌てる必要などない。そのときだ、大男の目に光があたり、顔をしかめる。今だ――。久蔵は左足の太股（ふともも）に組みつき、自分の左足を相手の右足に掛け、渾身（こんしん）の力を振り絞り押し込む。大男は倒れながらも身体を捻り、久蔵をうっちゃる。二人は土俵に倒れ込んだが、久蔵はしがみついた両手を放さなかった。どっちだ――。

軍配は久蔵に上がった。割れんばかりの歓声とともに、土俵には様々なものが投げ込まれる。座布団（ざぶとん）、食べ物、雪駄（せった）、そして四文銭まで。土俵に這いつくばって銭を拾い集める万造の頭を下駄が直撃した。

久蔵は力の限りに叫ぶ。

「お梅ちゃん、勝ったぞー。お梅ちゃんー」

狂騒の中、その声がお梅に届いたかは、わからない。

「やったな、久蔵さん。立派に自分の褌で相撲を取ったじゃないか。おっと、いかん、いかん。忘れていた」

鉄斎は苦笑いをしながら、刀を鞘に戻した。

本書は、書き下ろし作品です。

著者紹介

畠山健二（はたけやま　けんじ）

1957年東京都目黒区生まれ。墨田区本所育ち。演芸の台本執筆や演出、週刊誌のコラム連載、ものかき塾での講師まで精力的に活動する。著書に『下町のオキテ』（講談社文庫）、『下町呑んだくれグルメ道』（河出文庫）、『超入門！ 江戸を楽しむ古典落語』（ＰＨＰ文庫）、『粋と野暮 おけら的人生』（廣済堂出版）など多数。2012年『スプラッシュ マンション』（ＰＨＰ研究所）で小説家デビュー。文庫書き下ろし時代小説『本所おけら長屋』（ＰＨＰ文芸文庫）が好評を博し、人気シリーズとなる。

ＰＨＰ文芸文庫　本所おけら長屋 読み始めセット
本所おけら長屋

2023年９月15日　第１版第１刷

著　者　畠　山　健　二
発行者　永　田　貴　之
発行所　株式会社ＰＨＰ研究所
東京本部　〒135-8137 江東区豊洲5-6-52
文化事業部　☎03-3520-9620（編集）
普及部　☎03-3520-9630（販売）
京都本部　〒601-8411 京都市南区西九条北ノ内町11
PHP INTERFACE　https://www.php.co.jp/
組　版　朝日メディアインターナショナル株式会社
印刷所　図書印刷株式会社
製本所　東京美術紙工協業組合

ISBN978-4-569-90341-5

PHP文芸文庫

スプラッシュマンション

畠山健二 著

マンション管理組合の高慢な理事長にひと泡吹かすべく立ち上がった男たち。奇想天外なその作戦の顚末やいかに。わくわく度満点の傑作。

PHP文芸文庫

鯖猫長屋ふしぎ草紙（一）～（十）

田牧大和 著

事件を解決するのは、鯖猫!? わけありな人たちがいっぱいの「鯖猫長屋」で、不可思議な出来事が……。大江戸謎解き人情ばなし。

きたきた捕物帖

宮部みゆき 著

著者が生涯書き続けたいと願う新シリーズ第一巻の文庫化。北一と喜多次という「きたきた」コンビが力をあわせ事件を解決する捕物帖。